Primeros Pasos en Coreano

para Hispanohablantes

FIRST STEP IN KOREAN FOR SPANISH

Compiled by
The Institute of Continuing Education
of Kyung Hee University

- **Suk-Ja Lee**
  Profesora del Departamento de Lengua y Literatura Japonesa de la Universidad Kyung Hee
- **Hyosang Lim**
  Catedrático de la Filología Hispánica de la Universidad Kyung Hee

FIRST STEP IN KOREAN FOR SPANISH

Published by MINJUNG SEORIM

37-29, Hoedong-gil, Paju-si,

Gyeonggi-do 413-120, KOREA

Phone: (031) 955-6500~6 Fax: (031) 955-6525~6

Price: 13,000 Won

ISBN: 978-89-387-0011-7 13710

Printed in Korea

Prólogo

Con la globalización, el mundo se hace más pequeño. En esta época tan rápido, de intercambio de información, tecnología y cultura el entendimiento mutuo entre los países se vuelve crucial para la sobrevivencia en la comunidad internacional. La capacidad comunicativa se hace para entender a otros países y para a la competitividad en el mercado internacional. Dado este panorama, el coreano ha llegado a ser una lengua más que requiere la comunidad internacional. El papel de Corea se extiende más en el foro de la política internacional, la economía internacional y la cultura, de tal manera que la necesidad del coreano ha crecido notablemente. De acuerdo con esta necesidad, este texto ha sido escrito para facilitar el aprendizaje del coreano a los extranjeros.

Para este libro, se he contado con la participación de profesionales de distintas áreas. No solamente expertos en lengua coreana sino también expertos en otras lenguas extranjeras tales como inglés, chino y japonés participaron en la tarea de la publicación de este manual. El texto se ha beneficiado con las ideas o sugerencias de los profesionales en otras lenguas extranjeras, pues el texto del coreano es una lengua extranjera a los estudiantes extranjeros que necesitan aprender el coreano. Para llevar a cabo este texto, hemos pasado a la revisión de los nativos del inglés, del japonés y otra lengua y hemos recibido varios comentarios. Gracias a ellos hemos podido incluir los puntos de vista de los profesionales y los lectores.

Revisar y corregir los manuscritos fue, sin duda, un gran trabajo. También cortar, revisar y pegar los dibujos ha requerido mucho esfuerzo. Queremos agradecer a todas las personas que han hecho un gran esfuerzo para la publicación de este texto. Esperamos que éste resulte de gran utilidad y se encuentre en las maletas de los extranjeros de todo el mundo.

Suk-Ja Lee, Ph. D.
Directora del Instituto de Educación Continua
Universidad Kyung Hee

enero, 2006

Introducción

Este texto ha sido diseñado para ayudar a los extranjeros a aprender el coreano de una manera eficaz durante corto tiempo. El texto no sólo trata de la lengua coreana sino también de la cultura coreana. Los extranjeros que acaban de llegar a Corea o que van a quedar poco tiempo se pueden beneficiar con este texto. Empezando por el alfabeto coreano Hangeul, trata de muchos temas más comunes en la vida cotidiana de Corea, lo que tal vez sea un nuevo ambiente para los extranjeros. El texto consta de los elementos cruciales en la vida de Corea tales como presentación personal preguntas, días y numerales, pedir algo en el restaurante, llamada por teléfono, viaje, sacar dinero de una cuenta bancaria, comprar, pedir servicio de limpieza al seco, etc.

El texto ha dado mucho énfasis al uso práctico del coreano evitado una explicación detallada de la gramática. Sin embargo, los lectores pueden aprender la gramática básica de una manera sencilla y fácil. En cada lección explicamos plicamos algunos puntos clave de la gramática para aprender el coreano. Hemos intentado dar una explicación no exhaustiva sino práctica, para lo cual hemos introducido varios diálogos para que los principiantes puedan aprender el coreano sin gran confusión de la gramática.

En la adquisición de una lengua extranjera, lo más importante es, sin duda, la práctica. Teniendo en cuenta esto, hemos diseñado la sección de ejercicios con mucho cuidado. Todas las preguntas en el ejercicio se basan en el conocimiento de los alumnos de la lección anterior. Unas pocas palabras relacionadas con cada lección se emplearon para la conciencia de los estudiantes dentro del marco de la capacidad de manejar. Por lo tanto, el ejercicio puede ayudar a los estudiantes a completar la información de cada lección.

Aumentar el vocabulario es crucial para el aprendizaje de una lengua extrajera. Nuevas palabras están registradas justo después del diálogo. Hemos dado la forma derivada de las palabras como son a fin de evitar la confusión de los estudiantes con la conjugación tan compleja. Hemos incluido ejercicios léxicos. Por ejemplo, cuando tenemos una palabra 'verano' en una lección, hemos incluido todo el vocabulario en relación con la estación, así que palabras tales como primavera, otoño e invierno están en la sección del ejercicio léxico. No es necesario decir ésto.

Dado que el texto se dirige a pricipiantes, el sistema de romanización del Ministerio de Educación se ha empleado con la traducción inglesa. Sin embargo, hemos intentado utilizar al mínimo la romanización cuando sea necesario para la pronunciación. El coreano se basa en el sistema fonético como el inglés, así que no hace falta usar la romanización. No podemos buscar una equivalencia exacta entre el coreano y el inglés en la estructura y el vocabulario. La traducción al inglés puede ayudar a los estudiantes a entender la oración en coreano. Por eso, debe utilizarse para entender el significado de una oración entera, no una palabra ni una parte de la estructura. En todo caso, la romanización y la traducción al inglés ayudarían a los principiantes a aprender la lengua coreana.

Para referencia, el índice está en final del texto. En caso de alguna duda sobre una palabra o una expresión, se puede consultar el índice. Aparte del inglés, hemos incluido la traducción del chino y el japonés para los hablantes de dichas lenguas.

Los caracteres chinos elementales también están al final del texto. Si se quiere aprender el coreano, se debe aprender los caracteres chinos elementales que son importantes para aumentar el vocabulario, para quienes deseen sacar la prueba de "competencia del coreano".

La manera de medir, pesar y contar de los coreanos también está en el cuadro, en comparación con el sistema inglés. Para acostumbrarse al nuevo sistema, se necesita consultar dicha sección con frecuencia.

El texto se divide en tres partes de 20 lecciones cada una. La primera parte consta de seis lecciones, la segunda parte de siete lecciones y la tercera parte de siete lecciones. Cada lección consta de vocabulario y frases, ejercicios léxicos, estructuras y expresiones, ejercicios y práctica de lectura. Al pricipio, hemos introducido el alfabeto coreano(hangeul), y en el apéndice, se pueden consultar las unidades de mesura y los caracteres chinos. Si se estudia el texto como esperamos, estamos seguros de que se puede conseguir el conocimiento básico de la lengua coreana para la vida cotidiana.

Abreviatura de Simbolos

( ) significa selección opcional o raíz de un verbo
→ significa 'cambia a' o 'se vuelve'
\+ indica límite de morfemas
– indica forma unida

Pronunciación Coreana

- Neutralización de sílaba final: las consonantes tales como "ㄷ", "ㅌ", "ㅈ", "ㅊ", "ㅅ", y se "ㅆ" pronuncian como una "ㄷ" no suelta en posición de sílaba final. Las consonantes como "ㄱ", "ㄲ" y "ㅋ" se pronuncian como una "ㄱ" no suelta en posición de sílaba final. Consonantes como "ㅂ" y "ㅍ" se pronuncian como "ㅂ" no suelta en la misma posición

  Ej) 밭 [받] campo　　빛 [빋] luz
  부엌 [부억] cocina　　앞 [압] frente

- Ligación de consonante a vocal: cuando es seguida de vocal, la consonante final de una sílaba se pronuncia en la posición inicial de la siguiente vocal.

  Ej) 한국어 [한구거] la lengua coreana
  묻어 [무더] manchar　　직업 [지겁] ocupacion
  월요일 [워료일] lunes

- Tensificación: las consonantes "ㄱ", "ㄷ", "ㅂ", "ㅅ" y "ㅈ" se convierten en las consonates tensas "ㄲ", "ㄸ", "ㅃ", "ㅆ", y "ㅉ" al ser seguidas de cualquier consonate a excepción de "ㄴ", "ㄹ", "ㅁ", "ㅇ" y "ㅎ".

  Ej) 학교 [학꾜] escuela　　닫다 [닫따] cerrar
  맛보다 [맏뽀다] saber (sabor)　　젖다 [젇따] mojarse

- Asimilación nasal: cuando los sonidos "ㄱ", "ㄷ" y "ㅂ" van seguidos de los sonidos nasales "ㅁ", "ㄴ" y "ㅇ", se asimilan a los sonidos nasales inmediatos.

  Ej) 낱말 [난말] palabras　　작년 [장년] el año pasado

- Palatalización: las consonantes finales "ㄷ" y "ㅌ" se pronuncian como "ㅈ" y "ㅊ" cuando van segqidas de la vocal "이".

  Ej) 맏이 [마지] primer(a) hijo(a)

  같이 [가치] junto(a)

- Lateralización : "ㄴ" se pronuncia "ㄹ" antes o después del sonido "ㄹ".

  Ex) 천리 [철리] 1000 ri

  달나라 [달라라] tierra de luna

- Aspiración: las consonates son aspiradas después del sonido "ㅎ".

  Ej) 좋다 [조타] ser bueno　　많다 [만타] muchos

- Contracción de vocal: una secuencia de vocales puede contraerse.

  Ex) 오 [o] + 아 [a] → 와 [wa]

  이 [i] + 아 [a] → 야 [ya]

  이 [i] + 오 [o] → 요 [yo]

  아 [a] + 이 [i] → 애 [ae]

  우 [u] + 어 [eo] → 워 [wo]

  이 [i] + 어 [eo] → 여 [yeo]

  이 [i] + 우 [u] → 유 [yu]

CONTENIDOS

PARTE II

PARTE III

1 Vocales (한글의 기본 모음)

vocales	pronunciación	trazo de letra	práctica de escritura				
ㅏ	a / 아	ㅏ (1, 2)	ㅏ ㅏ / ㅏ ㅏ			사자 saja el león	
ㅑ	ya / 야	ㅑ (1, 2, 3)	ㅑ ㅑ / ㅑ ㅑ			야구 yagu el béisbol	
ㅓ	eo / 어	ㅓ (1, 2)	ㅓ ㅓ / ㅓ ㅓ			머리 meori la cabeza	
ㅕ	yeo / 여	ㅕ (1, 2, 3)	ㅕ ㅕ / ㅕ ㅕ			별 byeol la estrella	
ㅗ	o / 오	ㅗ (1, 2)	ㅗ ㅗ / ㅗ ㅗ			모자 moja el gorro	
ㅛ	yo / 요	ㅛ (1, 2, 3)	ㅛ ㅛ / ㅛ ㅛ			교회 gyohwoe la iglesia	
ㅜ	u / 우	ㅜ (1, 2)	ㅜ ㅜ / ㅜ ㅜ			우유 uyu la leche	

vocales	pronunciación	trazo de letra	práctica de escritura				
ㅠ	yu 유	1, 2, 3	ㅠ ㅠ ㅠ ㅠ			귤 gyul la naranja	
ㅡ	eu 으	1	ㅡ ㅡ ㅡ ㅡ			트럭 teureok el camión	
ㅣ	i 이	1	ㅣ ㅣ ㅣ ㅣ			기차 gicha el tren	
ㅐ	ae 애	1, 2, 3	ㅐ ㅐ ㅐ ㅐ			개구리 gaeguri la rana	
ㅒ	yae 얘	1, 2, 3, 4	ㅒ ㅒ ㅒ ㅒ			얘 yae la niña	
ㅔ	e 에	1, 2, 3	ㅔ ㅔ ㅔ ㅔ			게 ge el cangrejo	
ㅖ	ye 예	1, 2, 3, 4	ㅖ ㅖ ㅖ ㅖ			계단 gyedan la escalera	

vocales	pronunciación	trazo de letra	práctica de escritura				
ㅘ	wa / 와	ㅘ 1 2 3 4	ㅘ ㅘ	ㅘ ㅘ		과일 gwail la fruta	
ㅙ	wae / 왜	ㅙ 1 2 3 4 5	ㅙ ㅙ	ㅙ ㅙ		돼지 dwaeji el cerdo	
ㅚ	oe / 외	ㅚ 1 2 3	ㅚ ㅚ	ㅚ ㅚ		왼쪽 oenjjok izquierda	
ㅝ	wo / 워	ㅝ 1 2 3 4	ㅝ ㅝ	ㅝ ㅝ		원숭이 wonsung-i el mono	
ㅞ	we / 웨	ㅞ 1 2 3 4 5	ㅞ ㅞ	ㅞ ㅞ		웨이터 weiteo el camarero	
ㅟ	wi / 위	ㅟ 1 2 3	ㅟ ㅟ	ㅟ ㅟ		귀 gwi la oreja	
ㅢ	ui / 의	ㅢ 1 2	ㅢ ㅢ	ㅢ ㅢ		의사 uisa el doctor	

❷ Consonantes (한글의 기본 자음)

consonantes	pronunciación	trazo de letra	práctica de escritura				
ㄱ	g, k [giyeok]	ㄱ	ㄱ ㄱ ㄱ ㄱ			가위 gawi la tijeras	
ㄴ	n [nieun]	ㄴ	ㄴ ㄴ ㄴ ㄴ			나비 nabi la mariposa	
ㄷ	d, t [digeut]	ㄷ	ㄷ ㄷ ㄷ ㄷ			도로 doro la carretera	
ㄹ	r, l [rieul]	ㄹ	ㄹ ㄹ ㄹ ㄹ			로켓 roket el cohete	
ㅁ	m [mieum]	ㅁ	ㅁ ㅁ ㅁ ㅁ			말 mal el caballo	
ㅂ	b, p [bieup]	ㅂ	ㅂ ㅂ ㅂ ㅂ			바지 baji el pantalón	
ㅅ	s [siot]	ㅅ	ㅅ ㅅ ㅅ ㅅ			사과 sagwa la manzana	

consonantes	pronunciación	trazo de letra	práctica de escritura				
ㅇ	ø, ng [ieung]	ㅇ	ㅇ ㅇ ㅇ ㅇ			아기 agi el niño	
ㅈ	j [jieut]	ㅈ	ㅈ ㅈ ㅈ ㅈ			장미 jangmi la rosa	
ㅊ	ch [chieut]	ㅊ	ㅊ ㅊ ㅊ ㅊ			책 chaek el libro	
ㅋ	k [kieuk]	ㅋ	ㅋ ㅋ ㅋ ㅋ			코 ko la nariz	
ㅌ	t [tieut]	ㅌ	ㅌ ㅌ ㅌ ㅌ			탑 tap la torre	
ㅍ	p [pieup]	ㅍ	ㅍ ㅍ ㅍ ㅍ			팔 pal el brazo	
ㅎ	h [hieut]	ㅎ	ㅎ ㅎ ㅎ ㅎ			하늘 haneul el cielo	

consonantes	pronunciación	trazo de letra	práctica de escritura			
ㄲ	kk [ssanggiyeok]	ㄲ	ㄲ ㄲ ㄲ ㄲ		꽃 kkot la flor	
ㄸ	tt [ssangdigeut]	ㄸ	ㄸ ㄸ ㄸ ㄸ		뚱보 ttungbo el gordo	
ㅃ	pp [ssangbieup]	ㅃ	ㅃ ㅃ ㅃ ㅃ		빵 ppang el pan	
ㅆ	ss [ssangsiot]	ㅆ	ㅆ ㅆ ㅆ ㅆ		싸움 ssaum la pelea	
ㅉ	jj [ssangjieut]	ㅉ	ㅉ ㅉ ㅉ ㅉ		쪽지 jjokji la papeleta	

3 Consonantes finales (받침)

consonantes	pronunciación	trazo de letra	práctica de escritura			
ㄱ	-k	ㄱ, ㅋ, ㄳ, ㄺ, ㄲ	학교 hakgyo escuela		닭 dak el pollo	
ㄴ	-n	ㄴ, ㄵ, ㄶ	전화 jeonhwa teléfono		많다 manta mucho	
ㄷ	-t	ㄷ, ㅅ, ㅆ, ㅈ, ㅊ, ㅌ, ㅎ	옷 ot ropa		빛 bit la luz	
ㄹ	-l	ㄹ, ㄼ, ㄾ, ㅀ, ㄺ, ㄽ	얼굴 eolgul cara		여덟 yeodeol ocho	
ㅁ	-m	ㅁ, ㄻ	담배 dambae tabaco		젊다 jeomda joven	
ㅂ	-p	ㅂ, ㅍ, ㅄ, ㄼ, ㄿ	접시 jeopsi plato	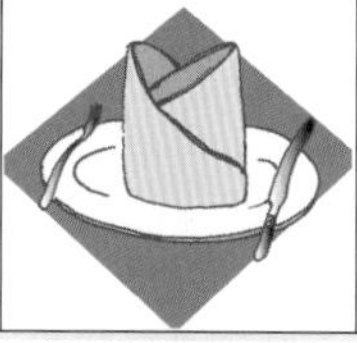	잎 ip la hoja	
ㅇ	-ng	ㅇ	종 jong timbre		병아리 byeong-ari el pollito	

한국의 전통 문화 I

Cultura tradicional coreana (I)

한국 지도
hanguk jido
el mapa de Corea

태극기
taegeuk-gi
la bandera de Corea

널뛰기
neolttwigi
el columpio

댕기머리
daenggimeori
el pelo de trenza tradicional

부채춤
buchaechum
el baile de abaníco tradicional

스님
seunim
el monje

상모돌리기
sangmodolligi
el baile tradicional con cinta en la cabeza

신부
sinbu
la novia

살풀이춤
salpurichum
el baile tradicional para consuelo

가마
gama
la palanca

갓
gat
el sombrero tradicional

곰방대
gombangdae
la pipa

한국의 전통 문화 Ⅱ

Cultura tradicional coreana (II)

남대문
namdaemun
la Gran Puerta del Sur

다듬이
dadeumi
piedra para batán y porras

탑
tap
la pagoda

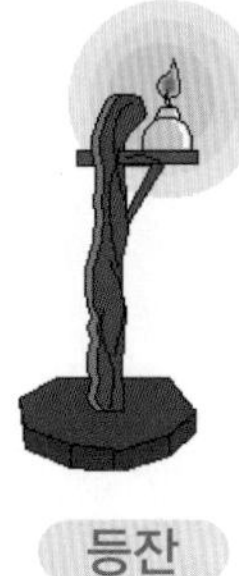

등잔
deungjan
la lámpara

떡
tteok
pastel de arroz

맷돌
maetdol
el molendero/amolador

화로
hwaro
olla de fuego

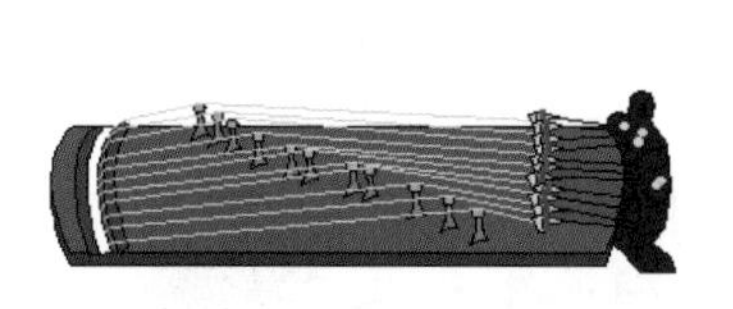

가야금
gayageum
Instrumento musical de cuerda

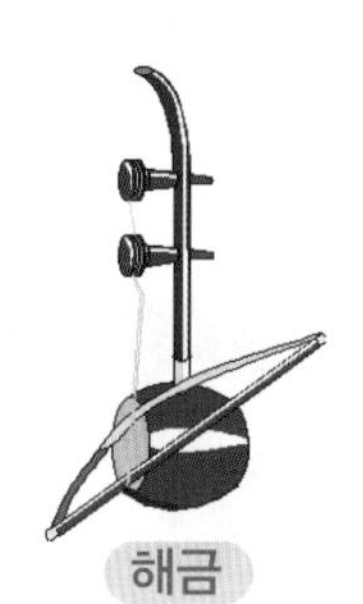

해금
haegeum
Instrumento musical de cuerda

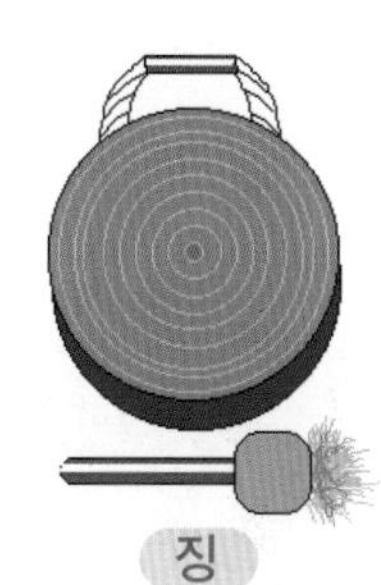

징
jing
el gong tradicional

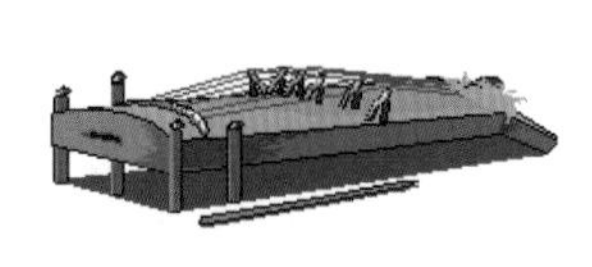

아쟁
ajaeng
Instrumento musical de cuerda

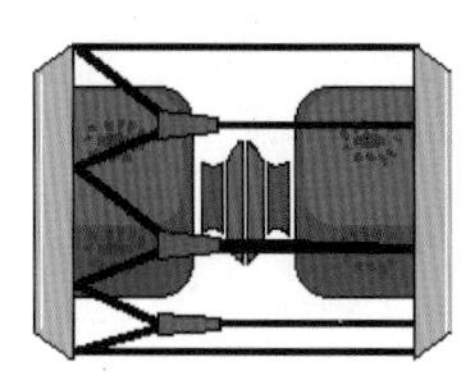

장구
jang-gu
El tambor tradicional

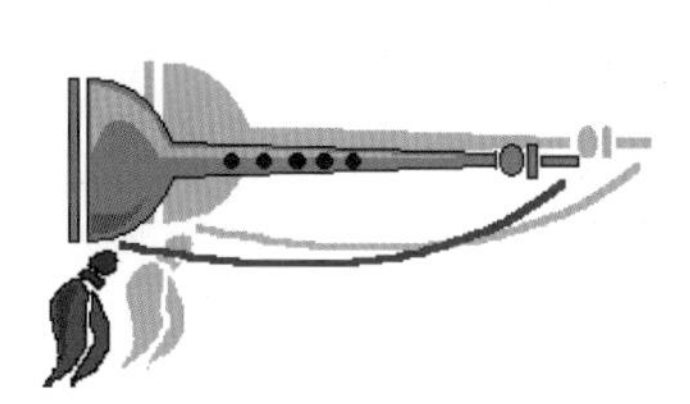

태평소
taepyeongso
Instrmento de cuerno

피리
piri
Flauta tradicional

■ Techo

■ Centro de seúl

■ Taegwondo

제 1 과

Lección 1

안녕하세요? ¡Hola!

Frases principales

1. 안녕하세요? ¡Hola!
   annyeonghaseyo
2. 당신은 어느 나라 사람입니까? ¿De dónde es usted?
   dangsineun eoneu nara saramimnikka

Diálogos

Diálogo 1

수미: 안녕하세요? ¡Hola!
annyeonghaseyo

헨리: 안녕하세요? ¡Hola!
annyeonghaseyo

수미: 이름이 무엇입니까?
ireumi mueosimnikka
¿Cómo se llama usted?

헨리: 헨리입니다. Me llamo Enrique.
henriimnida

당신의 이름은 무엇이에요? ¿Cuál es su nombre?
dangsinui ireumeun mueosieyo

수미: 제 이름은 이수미입니다. Mi nombre es Sumi Lee.
je ireumeun isumiimnida

만나서 반갑습니다. Encantada de conocerle.
mannaseo bangapseumnida

헨리: 만나서 반갑습니다. Encantado de conocerle.
mannaseo bangapseumnida

Diálogo 2

수미: 당신은 어느 나라 사람입니까? ¿De dónde es usted?
dangsineun eoneu nara saramimnikka

헨리: 저는 나이지리아 사람입니다.
jeoneun naijiria saramimnida
Soy de Nigeria.

수미: 당신도 나이지리아 사람입니까?
dangsindo naijiria saramimnikka
¿Es usted también nigeriano?

존슨: 아니오, 나이지리아 사람이 아닙니다.
anio naijiria sarami animnida
No, no soy de Nigeria.

저는 미얀마 사람입니다.
jeoneun miyanma saramimnida
Soy de Mianmar.

Vocabulario y frases

- 안녕하세요? ¡Hola!
- 무엇입니까? ¿Qué es?
- 이름 nombre
- 당신, 너 usted/tú
- 이다 ser
- 미얀마 Mianmar
- 어느 cuál
- 나이지리아 Nigeria
- 아니오 no
- 아니다 no
- 반갑습니다 encantado
- 저, 나 Yo
- 만나다 encontrarse
- 사람 gente
- 나라 país

Ejercicio de vocabulario

미국 [miguk] Estados Unidos		나이지리아 [naijiria] Nigeria	
일본 [ilbon] Japón		미얀마 [miyanma] Mianmar	
중국 [jungguk] China		파키스탄 [pakistan] Pakistán	
호주 [hoju] Australia		한국 [hanguk] Corea	

Estructuras gramaticales y expresiones

① La expresión '안녕하세요?' se emplea para saludar a una persona. También se usa para presentar a alguien, significando '¿Cómo está usted?' o 'Encantado'.

② El marcador del caso nominativo '~이' se usa después de una palabra con consonante final y '~가' se usa después de de una palabra con vocal. Por ejemplo, 'ㄱ' en '책(libro)' y 'ㅁ' en '이름(nombre)' son consonantes, mientras 'ㅖ' en '시계(reloj)' y 'ㅜ' en '나무(rbol)' son vocales como las siguientes:

~이 : marcador del caso nominativo　　**~가** : marcador del caso nominativo

책이 있습니다.
chaegi itseumnida
Hay libros.

이름이 무엇입니까?
ireumi mueosimnikka
¿Cómo se llama?

시계가 있습니다.
sigyega itseumnida
Hay un reloj.

나무가 있습니다.
namuga itseumnida
Hay un arbol.

③ El marcador del tópico '~은' se usa después del sustantivo tópico que termina en consonante, mientras '~는' se usa después del sustantivo tópico que termina en vocal. Por ejemplo, 'ㅁ' en '이름' es una consonante y 'ㅓ' en '저', 'ㅣ' en '미' son vocales como vemos en los siguientes ejemplos:

~은 : marcador del tópico　　**~는** : marcador del tópico

제 이름은 헨리입니다.
je ireumeun henriimnida
Mi nombre es Enrique.

나라 이름은 무엇입니까?
nara ireumeun mueoshimnikka
¿Cuál es el nombre del país?

저는 나이지리아 사람입니다.
jeoneun naijiria saramimnida
Soy nigeriano.

수미는 한국 사람입니다.
sumineun hanguk saramimnida
Sumi es coreana.

④ El verbo 'ser', '~입니다', es un verbo copulativo en coreano que se combina con el nombre o las profesiónes.

~입니다 : *ser*

수미입니다.
sumiimnida
Soy Sumi.

케냐 사람입니다.
kenya saramimnida
Soy keniano.

⑤ La forma interrogante '~까?' se usa para componer una oración interrogativa.

~입니까? : pregunta positiva
~아닙니까? : pregunta negativa

어느 나라 사람입니까?
eoneu nara saramimnikka
¿De dónde es usted?

이름이 무엇입니까?
ireumi mueosimnikka
¿Cuál es su nombre?

한국 사람이 아닙니까?
hanguk sarami animnikka
¿Es usted coreano?

⑥ Para responder a las preguntas del tipo Sí-No, se dice '예' para la respuesta afirmativa y '아니오' para responer en forma negativa Por el contrario, '예' significa 'no' y '아니오' quiere decir 'sí en las preguntas negativas.

예 : *sí*	**아니오** : *no*

[Pregunta positiva]

당신은 미국 사람입니까? ¿Es usted de Estados Unidos?
dangshineun miguk saramimnikka

예, 미국 사람입니다. Sí, soy de Estados Unidos.
ye miguk saramimnida

아니오, 미국 사람이 아닙니다. No, no soy de Estados Unidos.
anio miguk sarami animnida

[Pregunta negativa]

당신은 미국 사람이 아닙니까? es usted de Estados Unidos?
dangsineun miguk sarami animnikka

아니오, 미국 사람입니다. Sí, soy de Estados Unidos.
anio miguk saramimnida

예, 미국 사람이 아닙니다. No, no soy de Estados Unidos.
ye miguk sarami animnida

Ejercicios

1 Complete el siguiente diálogo con una palabra adecuada.

(1) Question : 이름이 무엇이에요?
¿Cuál es su nombre?
Answer : 제 이름은 헨리입니다.
Mi nombre es Enriqué.

이수미 isumi
존슨 jonseun
영주 yeongju
야마다 yamada

(2) Question : 당신은 어느 나라 사람입니까?
¿De dónde es usted?
Answer : 저는 나이지리아 사람입니다.
Soy de Nigeria.

미얀마 miyanma
중국 jungguk
한국 hanguk
러시아 reosia

2 Complete la siguiente oración con el marcador adecuado.

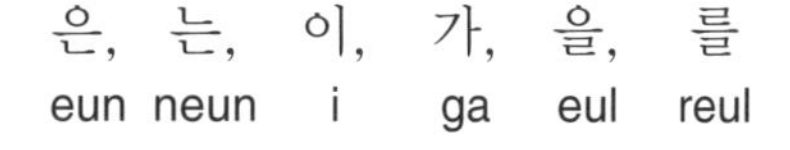

(1) 제 이름( ) 헨리입니다.
Mi nombre es Enrique.

(2) 책( ) 있습니다.
Hay un libro.

(3) 이름( ) 무엇입니까?
¿Cuál es su nombre?

(4) 저( ) 나이지리아 사람입니다.
Soy de Nigeria.

(5) 당신( ) 어느 나라 사람입니까?
¿De dónde es usted?

3 Responda a las siguiente preguntas.

Q : 당신은 미국 사람입니까? ¿Es usted norteamericano?
A : 예, 저는 미국 사람입니다. Sí, soy norteamericano.
아니오, 저는 미국 사람이 아닙니다. No, no soy norteamericano.

(1) 당신은 나이지리아 사람입니까? (예) ______________________.
¿Es usted de Nigeria?

(2) 당신은 한국 사람입니까? (아니오) ______________________.
¿Es usted de Corea?

(3) 당신은 미얀마 사람입니까? (예) ______________________.
¿Es usted de Mianmar?

(4) 당신은 중국 사람입니까? (예 / 아니오) ______________________.
¿Es usted de China?

(5) 당신은 일본 사람입니까? (예 / 아니오) ______________________.
¿Es usted de Japón?

Ejercicio de lectura

(1) 당신의 이름은 무엇입니까?
¿Cuál es su nombre?

(2) 제 이름은 이수미입니다.
Mi nombre es Sumi Lee.

(3) 만나서 반갑습니다. 안녕히 계세요.
Encantado(a) de conocerle.

(4) 당신은 어느 나라 사람입니까?
¿De dónde es usted?

(5) 저는 한국 사람입니다.
Soy coreana.

노란색 ○	amarillo	검은색 ●	negro
빨간색 ●	rojo	흰 색 ○	blanco
파란색 ●	azul	분홍색 ●	rosa
보라색 ●	pirpura/morado	초록색 ●	verde
회 색 ●	gris	연두색 ●	verde ligero
주황색 ●	naranja	하늘색 ○	azul

제 2 과

Lección 2

아버지의 직업은 무엇입니까?

¿Cuál es la profesión de su padre?

Frases principales

1. 아버지의 직업은 무엇입니까? ¿Cuál es la profesión de su padre?
   abeojiui jigeobeun mueosimnikka
2. 당신은 지금 무엇을 합니까? ¿Qué está haciendo ahora?
   dangsineun jigeum mueoseul hamnikka

Diálogos

Diálogo 1

수미: 당신의 가족을 소개해 주세요.
dangsinui gajogeul sogaehae juseyo
¿Puede presentar a su familia, por favor?

헨리: 아버지, 어머니, 형, 동생이 있습니다.
abeoji eomeoni hyeong dongsaeng-i itseumnida
Tengo padre, madre y dos hermanos.

수미: 아버지의 직업은 무엇입니까?
abeojiui jigeobeun mueosimnikka
¿Cuál es la profesión de su padre?

헨리: 회사원입니다. Es oficinista./Trabaja en una oficina.
hoesawonimnida

Diálogo 2

수미: 당신은 지금 무엇을 합니까?
dangsineun jigeum mueoseul hamnikka
¿Qué está haciendo ahora?

헨리: 저는 태평양 대학교에서 한국어를 배웁니다.
jeoneun taepyeongyang daehakgyoeseo hangugeoreul baeumnida
Estoy estudiando coreano en la Universidad Taepyeongyang.

수미: 한국어는 재미있습니까?
hangugeoneun jaemiitseumnikka
¿Es interesante el coreano?

헨리: 네, 어렵지만 재미있습니다.
ne eoryeopjiman jaemiitseumnida
Sí, es difícil pero interesante.

수미: 한국인 친구가 있습니까?
hangugin chin-guga itseumnikka
¿Tiene algunos amigos coreanos?

헨리: 네, 많습니다.
ne mansseumnida
Sí, tengo muchos.

Vocabulario y frases

- 당신의 su
- 소개하다 presentar
- 아버지 padre
- 형 hermano mayor
- 직업 ocupación
- 지금 ahora
- 대학교 universidad
- 배우다 aprender
- 한국인 coreano
- 많습니다 mucho
- 가족 familia
- 주다/주세요 dar
- 어머니 madre
- 남동생 hermano menor
- 회사원 empleado/oficinista
- 무엇을 합니까? ¿Qué está haciendo ahora?
- 한국어 coreano
- 재미있다 ser interesante
- 친구 amigo
- 적습니다 poco/un poco

Ejercicios léxicos

할아버지
harabeoji
abuelo

할머니
halmeoni
abuela

아버지
abeoji
padre

어머니
eomeoni
madre

오빠 hermano mayor
oppa
형 hermano mayor
hyeong

언니 hermana mayor
eonni
누나 hermana mayor
nuna

남동생 hermano menor
namdongsaeng

여동생 hermana menor
yeodongsaeng

직업

의사 doctor
uisa

간호사 enfermera
ganhosa

경찰관 policía
gyeongchalgwan

소방관 bombero
sobanggwan

아나운서 presentador
anaunseo

가수 cantante
gasu

Estructuras gramaticales y expresiones

1. El marcador del caso posesivo '～의' se combina con el sustantivo cuya función es marcador del poseedor.

～의 : marcador del caso posesivo

당신의 가족
dangsinui gajok
su familia

나의 직업
naui jigeop
mi trabajo

수미의 언니
sumiui eonni
hermana de Sumi

자연의 아름다움
jayeonui areumdaum
hermosura de la naturaleza

② El marcador del caso acusativo '～을' se emplea después del sustantivo con final de consonante, mientras '～를' se emplea después del sustantivo con final vocálica.

가족을 : familia	**아버지를** : padre

가족을 소개해 주세요.
gajogeul sogaehae juseyo
Presente a su familia, por favor.

아버지를 소개해 주세요.
abeojireul sogaehae juseyo
Presente a su padre, por favor.

③ '무엇' es una palabra interrogativa ¿Qué quiere decir? El marcador del caso sigue a esta palabra y '～까?' se añade al final de la oración, formándose una oración interrogativa.

무엇을 합니까? : ¿Qué hace usted?

지금 무엇을 합니까?
jigeum mueoseul hamnikka
¿Qué hace ahora?

당신은 무엇을 합니까?
dangsineun mueoseul hamnikka
¿Qué hace usted?

친구는 무엇을 합니까?
chin-guneun mueoseul hamnikka
¿Qué hace su amigo?

④ En expresiones de cortesía, cuando el verbo termina en vocal se usa '～ㅂ니다/ㅂ니까?' y '～습니다/습니까?' cuando el verbo termina en consonante.

～ㅂ니다/습니다 : ser
～ㅂ니까?/습니까? : forma interrogativa

이다.	입니다.	ser	있다.	있습니다.	existir/haber
ida	imnida		itda	itseumnida	
	입니까?			있습니까?	
	imnikka			itseumnikka	

⑤ '저' es una palabra de cortesía para referirse al hablante mismo '나 (yo)'. Aquí tenemos las expresiones honoríficas de los pronombres en coreano.

	singular	honorífico	plural	honorífico
1a persona	나 na	저 jeo	우리들 urideul	저희들 jeohuideul
2a persona	너 neo	당신 dangsin	너희들 neohuideul	당신들 dangsindeul
3a persona	그 geu	그분 geubun	그들 geudeul	그분들 geubundeul

⑥ '~지만' se combina con el verbo o adjetivo principal y significa 'pero'.

~지만 : aunque, pero

어렵지만 재미있습니다. Es difícil, pero interesante.
eoryeopjiman jaemiitseumnida

힘들지만 재미있습니다. Es duro, pero interesante.
himdeuljiman jaemiitseumnida

Ejercicios

1 Complete el siguiente diálogo empleando una palabra adecuada. (1)~(4)

(1) 아버지의 직업은 무엇입니까? ¿Cuál es la profesión del padre?

Ejemplo
어머니 eomeoni 할아버지 harabeoji 할머니 halmeoni 형 hyeong 동생 dongsaeng

(2) 아버지의 직업은 의사입니다. Mi padre es médico.

Ejemplo
선생님 seonsaengnim 운전기사 unjeongisa 회사원 hoesawon
경찰관 gyeongchalgwan 소방관 sobanggwan

(3) 한국어는 재미있습니까? ¿Es interesante el coreano?

Ejemplo
중국어 junggugeo 영어 yeong-eo 일본어 ilboneo 미얀마 어 miyanmaeo 러시아 어 reosiaeo

(4) 친구가/이 많습니다. Tengo muchos amigos.

Ejemplo
나라 nara 형 hyeong 가족 gajok 회사 hoesa 동생 dongsaeng

2 Transforme las siguiente frases con el estilo honorífico como en el siguiente ejemplo:

Ejemplo
회사원이다. → 회사원입니다. Soy oficinista.

한국어를 배우다. → ____________________

동생이 있다. → ____________________

재미있다. → ____________________

많다. → ____________________

Ejercicio de lectura

(1) 형의 직업은 무엇이에요?
¿Cuál es la profesión de su hermano mayor?

(2) 헨리, 지금 무엇을 해요? Enrique, ¿qué hace ahora?

(3) 저는 태평양 대학교에서 한국어를 배워요.
Estoy estudiando coreano en la Universidad Taepyeongyang.

(4) 저는 한국인 친구가 많습니다. Tengo muchos amigos coreanos.

(5) 한국어는 재미있습니다. El coreano es interesante.

제 3 과
Lección 3

어디 있어요? ¿Dónde está?

Frases principales

1. 화장실이 어디 있어요? hwajangsiri eodi isseoyo — ¿Dónde está el cuarto de baño?
2. 약국 오른쪽에 있어요. yakguk oreunjjoge isseoyo — Está a la derecha de la farmacia.

Diálogos

Diálogo 1

헨리: 실례합니다. 화장실이 어디 있어요?
sillyehamnida hwajangsiri eodi isseoyo
¿Perdón? ¿Dónde está el cuarto de baño?

남자: 저기 약국이 보여요?
jeogi yakgugi boyeoyo
¿Ve aquella farmacia?

헨리: 네, 보여요.
ne, boyeoyo
Sí, la veo.

남자: 약국 오른쪽에 있어요.
yakguk oreunjjoge isseoyo
Está a la derecha de la farmacia.

헨리: 고맙습니다.
gomapseumnida
Gracias.

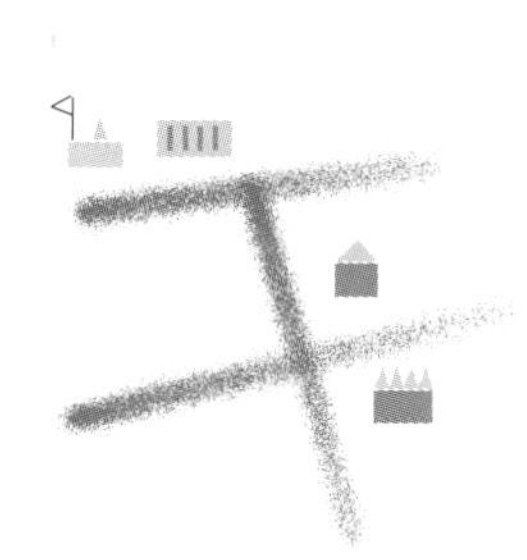

Diálogo 2

헨리: 실례합니다. 경찰서가 어디 있어요?
sillyehamnida gyeongchalseoga eodi isseoyo
Perdón, ¿dónde está la comisaría?

지갑을 잃어버렸어요.
jigabeul ireobeoryeosseoyo
He perdido mi cartera.

남자: 저 쪽으로 한 블록 가세요.
jeo jjogeuro han beulleok gaseyo
Pase una cuadra más.

대한 슈퍼 옆에 있어요.
daehan syupeo yeope isseoyo
Está al lado del supermercado Daehan.

헨리: 감사합니다.
gamsahamnida
Gracias.

Vocabulario y frases

- 실례합니다 perdón
- 감사합니다 gracias
- 고맙습니다 gracias
- 화장실 cuarto de baño
- 어디 dónde
- 있다 hay
- 가다/가세요 ir
- 잃어버렸어요 perdí
- 약국 farmacia
- 보다 ver
- 오른쪽에 a la derecha
- 왼쪽에 a la izquierda
- 경찰서 comisaría
- 지갑 cartera
- 잃어버리다 perder
- 대한슈퍼 supermercado Daehan
- 이쪽 este camino
- 저쪽 aquel camino
- 옆에 al lado de
- 한 uno
- 블록 bloque
- 있어요? ¿hay?
- 저기 allí

Ejercicios léxicos

방향에 관한 단어 (Palabras que tienen relación con la dirección)

왼쪽 la iquierda
oenjjok

오른쪽 la derecha
oreunjjok

저쪽 aquel lado
jeojjok

이쪽 este lado
ijjok

위치에 관한 단어 (Palabras que tienen relación con la locación)

앞 frente a
ap

뒤 detrás de
dwi

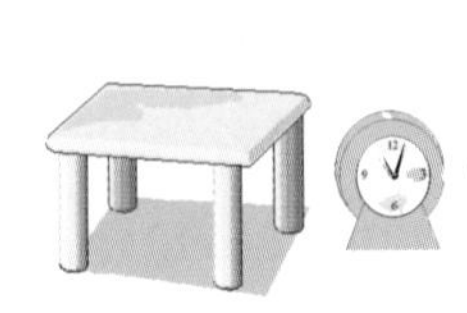

옆 al lado de
yeop

위 sobre
wi

아래 debajo de
arae

안 dentro de
an

Estructuras gramaticales y expresiones

① Se añade '~요?' para una pregunta y se tiene que subir la entonación. '~요?' corresponde a una expresión de cortesía informal, mientras '~까?' es una expresión de cortesía formal.

> **~ 있다/있어요?** : hay/¿hay?~.　　**보이다/보여요?** : ver/¿Puede ver ~?

화장실이 어디 있어요?
hwajangsiri eodi isseoyo
¿Dónde está el cuarto de baño?

약국이 보여요?
yakgugi boyeoyo
¿Ve la farmacia?

② La palabra interrogativa '어디' se emplear para preguntar sobre el lugar.

> **어디 있어요?** : ¿Dónde está esto?

어디 있어요?
eodi isseoyo
¿Dónde está esto?

어디 가세요?
eodi gaseyo
¿A dónde va usted?

③ Para una oración afirmativa, se añade '~요' con la entonación decreciente. '~요' corresponde al estilo informal, mientras '~ㅂ니다/습니다' es una expresión de cortesía formal.

> **~ 있어요.** : Esto está

오른쪽에 있어요.
oreunjjoge isseoyo
Está a la derecha.

슈퍼 앞에 있어요.
syupeo ape isseoyo
Está en frente del supermercado.

④ Para expresar 'Gracias', se usa '고맙습니다' o '감사합니다'. para llamar la atención de alguien, se usa '실례합니다'. Se usa '괜찮습니다' para expresar 'Está bien', y '좋습니다' para 'Es bueno'.

> **고맙습니다.** : Gracias.　　**감사합니다.** : Gracias.
> **실례합니다.** : Perdón.　　**괜찮습니다.** : Está bien.
> **좋습니다.** : Es bueno.

⑤ '~어' en '잃어' es un marcador de concordancia verbal que conecta dos verbos. '~었' en '버렸어요' es un marcador de tiempo verbal del pasado.

> **~ 잃어버리다 / 잃어버렸어요.** : perder/perdió

잃다 + 버리다 → 잃어버리다 perder 잃어버리 + 었 + 어요 → 잃어버렸어요 perdí
ilta + beorida ireobeorida ireobeori + eot + eoyo ireobeoryeosseoyo

죽다 + 버리다 → 죽어버리다 morir 죽어버리 + 었 + 어요 → 죽어버렸어요 murió
jukda + beorida jugeobeorida jugeobeori + eot + eoyo jugeobeoryeosseoyo

6 '~시' es un marcador honorífico que se emplea después de la raíz verbal.

가다 / 가세요 : ir/vaya, por favor.

가(다) + 시 + 어요 → 가세요 Vaya, por favor.
gaseyo

오(다) + 시 + 어요 → 오세요 Venga, por favor.
oseyo

Ejercicios

1 Complete los siguientes diálogos utilizando las palabras del ejemplo.

Ejemplo

- 강의실 aula
- 백화점 hipermercado
- 공중전화 teléfono público
- 편의점 bazar
- 동사무소 ayuntamiento
- 은행 banco
- 모텔 motel
- 사무실 oficina
- 우체국 correo
- 버스정류장 estación de autobús
- 지하철 metro
- 공장 fábrica
- 병원 hospital
- 공원 jardín

(1) ________이/가 어디 있어요? ________이/가 어디 있어요?
(2) ________이/가 어디 있어요? ________이/가 어디 있어요?
(3) ________이/가 어디 있어요? ________이/가 어디 있어요?
(4) ________이/가 어디 있어요? ________이/가 어디 있어요?

Ejercicios

2 Complete las siguientes oraciones con la palabra de 'dirección'.

(1) ____________에 있어요. (2) ____________에 있습니다.

(3) ____________에 있어요. (4) ____________에 있습니다.

(5) ____________에 있어요. (6) ____________에 있습니다.

3 Complete las siguientes oraciones con la palabra de 'ubicación'.

(1) ____________에 있어요. (2) ____________에 있습니다.

(3) ____________에 있어요. (4) ____________에 있습니다.

(5) ____________에 있어요. (6) ____________에 있습니다.

4 Complete las siguientes oraciones con una palabra adecuada.

가: 공원이 ________________?
나: ________________에 있어요.

가: ____________이 어디 있어요?
나: 왼쪽에 ________________.

Ejercicio de lectura

(1) 동사무소가 어디 있어요? ¿Dónde está el ayuntamiento?

(2) 저쪽으로 가세요. Pase por allí.

(3) 슈퍼 오른쪽에 있어요. Está a la derecha del supermercado.

(4) 가방을 잃어버렸어요. Perdí mi cartera.

(5) 경찰서 앞에 있어요. Está en frente de la comisaría.

Fiestas Nacionales (공휴일) [gonghyu-il]

- **설날** [seolnal] (Año Nuevo según el calendario lunar)
  El primer dia del año lunar, una de las mayores fiestas de Corea, se llama Sol(설) en coreano. Toda la familia se viste del llamado Hanbok, el traje tradiciónal y se celebra el rito de ofrenda a los antepasados.

- **3·1절** [samiljeol] (Día de la Independencia (1 de marzo))
  Se celebra la Declaración de la Independencia se independizó de el día 1 de marzo. En 1919 la nación la colonización japonesa. La lectura de la Declaración tuvo lugar durante una ceremonia especial en el Parque Tapkol.

- **식목일** [sikmogil] (Día de árbol (4 de abril))
  Se plantan árboles en toda la nación de acuerdo con el programa nacional de reforestación.

- **어린이날** [eorininal] (Día de los Niños (5 de mayo))
  Este día se celebran varios programas para los niños en parques, zoos y parques de atracción. Estos sitios están llenos de niños alegres y bien vestidos.

- **석가탄신일** [seokgatansinil] (Día de Buda (8 de abril según el calendario lunar))
  Los rituales se celebran en muchos templos budistas eu toda la nación. Se decoran con lámparas. Las calles y los patios de los templos. Por la tarde hay un desfile de lámparas.

- **광복절** [gwangbokjeol] (Día de la Liberación (15 de agosto))
  Este día se celebra el fin de la colonización japonesa después de terminada la segunda guerra mundial.

- **추석** [chuseok] (Chusok (15 de agosto según el calendario lunar))
  Este día es una de las mayores fiestas de Corea. Se celebra el día 15 de agosto según el calendario lunar con el fin de celebrar la cosecha y dar gracias por la generosidad de la tierra. La gente visita las tumbas de los antepasados para hacerles ofrenda por las cosechas y frutas del nuevo año.

- **크리스마스** [keurismas] (Navidad (25 de diciembre))
  La Navidad se celebra como una fiesta nacional en Corea como en otros países, pero solo un día.

제 4 과
Lección 4

이것은 한국어로 무엇입니까?
¿Cómo se dice esto en coreano?

Frases principales

1. 이것은 무엇입니까? — ¿Qué es esto?
   igeoseun mueosimnikka
2. 이것은 한국어로 무엇입니까? — ¿Cómo se dice esto en coreano?
   igeoseun hangugeoro mueosimnikka

Diálogos

Diálogo 1

헨리: 이것은 무엇입니까?
igeoseun mueosimnikka
¿Qué son estos?

수미: 그것은 운동화입니다.
geugeoseun undonghwaimnida
Son zapatos.

헨리: 그러면, 저것은 무엇이에요?
geureomyeon jeogeoseun mueosieyo
Entonces, ¿qué es aquello?

수미: 가방입니다. Es una maleta.
gabang-imnida

헨리: 가방이 예쁘군요. La maleta es bonita.
gabang-i yeppeugunyo

Diálogo 2

헨리: 이것은 한국어로 무엇입니까?
igeoseun hangugeoro mueosimnikka
¿Cómo se dice esto en coreano?

수미: 목걸이입니다. Se dice mokgeori.
mokgeoriimnida

헨리: 이것은 한국어로 바지입니까?
igeoseun hangugeoro bajiimnikka
¿Se dice esto bachi en coreano?

수미: 아니오, 그것은 바지가 아닙니다.
anio geugeoseun bajiga animnida
No, no es bachi.

치마입니다.
chimaimnida
Es chima.

Vocabulario y frases

- 이것 este
- 저것 aquel
- 무엇 qué
- 이다/입니다 ser
- 이에요? ¿Es eso?
- 무엇입니까? ¿Qué es eso?
- 운동화 zapatos
- 그러면 pues
- 목걸이 collar
- 한국어로 en coreano
- 한국어 coreano
- 예쁘다 guapa
- 가방 maleta
- 아니오 no
- 아닙니다 no
- 치마 falda
- 바지 pantalones

Ejercicios léxicos

Objetos personales

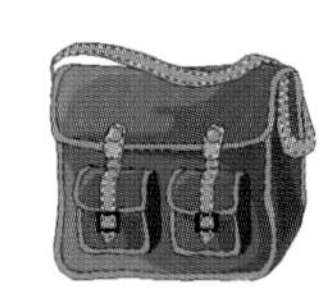
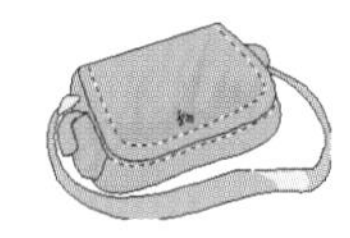

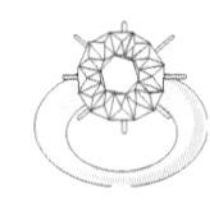

시계
sigye
reloj

가방
gabang
maleta

핸드백
haendbaek
bolso

지갑
jigap
cartera

반지
banji
anillo

목걸이
mokgeori
collar

팔찌
paljji
pulsera

Tipos de zapatos

운동화
undonghwa
zapato deportivo

구두
gudu
zapatos

부츠
bucheu
botas

슬리퍼
seulripeo
zapatillas

샌들
saendeul
sandalia

Tipos de vestidos

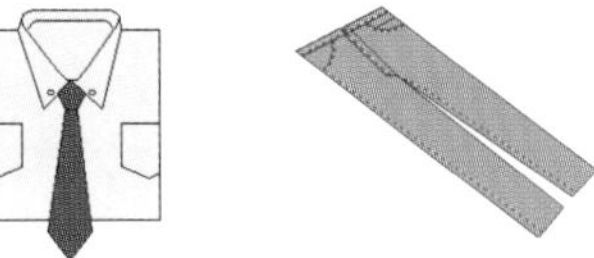

셔츠	바지	원피스	투피스	양복	잠옷
syeocheu	baji	wonpis	tupis	yangbok	jamot
camisa	pantalones	vestido	chaqueta	traje	pijamas

블라우스	재킷	치마	코트	운동복
beulraus	jaekit	chima	kot	undongbok
blusa	chaqueta	falda	abrigo	vestido deportivo

Trajes tradcionales coreanos

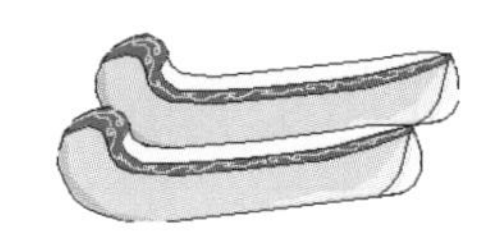
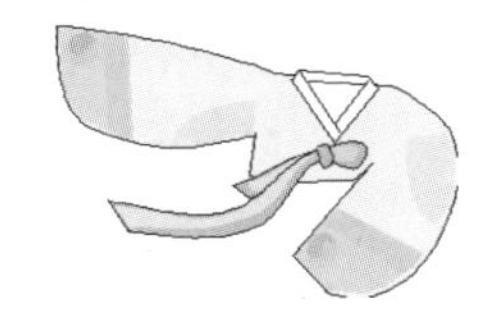

한복	버선	고무신	고름
hanbok	beoseon	gomusin	goreum
traje tradicional	calcetín	zapatos elásticos	cordoñ de la ropa

Estructuras gramaticales y expresiones

1 Existen tres formas de demostrativos: se usa '이것' cuando se refiere a algún objeto cerca del hablante. Se usa '그것' cuando se refiere a algún objeto cerca del oyente y por ultimo, se emplea '저것' cuando se refiere a algún objeto que está lejos del hablante así como del oyente.

이것 : este	**그것** : ese	**저것** : aquel

이것은 무엇입니까?
igeoseun mueosimnikka
¿Qué es esto?

저것은 무엇입니까?
jeogeoseun mueosimnikka
¿Qué es aquello?

그것은 무엇입니까? ¿Qué es eso?
geugeoseun mueosimnikka

② La pregunta que termina en '~이에요?' se emplea para el estilo de cortesía informal, mientras '~입니까?' se emplea para el estilo de cortesía formal.

무엇입니까? : ¿Qué es?	**무엇이에요?** : ¿Qué es?

이것은 무엇입니까?	이것은 무엇이에요?
igeoseun mueosimnikka	igeoseun mueosieyo
¿Qué es esto?	¿Qué es esto?

③ Cuando usted hace una pregunta sobre alguna afirmación, añade '~까?' en la posición final de la oración para el estilo formal, y '~요' en el estilo informal. Fíjese en que la oración de estilo formal que termina en '~요' se usa tanto para la afirmación como para la pregunta, pero solo hay diferencia en cuanto al tono. '~요' tiene una entonación decadente en la afirmación, mientras '~요' en la oración interrogativa tiene una entonación creciente.

이것은 바지입니까? : Estos son pantalones?
이것은 바지예요? : Estos son pantalones?

이것은 바지입니다.	→	이것은 바지입니까?
igeoseun bajiimnida		igeoseun bajiimnikka
Estos son pantalones.		Estos son pantalones?
이것은 바지예요.	→	이것은 바지예요?
igeoseun bajiiyeo		igeoseun bajiyeyo
Estos son pantalones.		Estos son pantalones?

④ La oración que termina en '~군' indica una nueva conciencia del hablante sobre un hecho o un evento. Con '~요' añadido a '~군', es decir, '~군요' se convierte en la forma de cortesía.

예쁘군. → 예쁘군요. : How pretty it is! → Qué bonita!

예쁘다.	예쁘군.	예쁘군요.
yeppeuda	yeppeugun	yeppeugunyo
Qué bonita!		
아름답다.	아름답군.	아름답군요.
areumdapda	areumdapgun	areumdapgunyo
Qué hermosa!		

⑤ Cuando usted quiere expresar 'No', emplea '~아니오'. Para transformar la forma en una forma negativa, emplea '~이/~가 아닙니다'.

아니오, 이것은 바지가 아닙니다. : No, estos no son pantalones.

아니오, 이것은 치마가 아닙니다. No, ésta no es la falda.
anio igeoseun chimaga animnida

아니오, 이것은 목걸이가 아닙니다. No, éste no es collar.
anio igeoseun mokgeoriga animnida

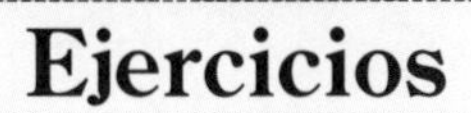

Ejercicios

1 Responde a las preguntas en la caja utilizando las palabras en paréntesis.

Pregunta
Q1 : 이것은 무엇입니까? ¿Qué es esto?
Q2 : 저것은 무엇입니까? ¿Qué es eso?

(1) 그것은 ______________ .(한복 la ropa de tradicional de Corea)
(2) 저것은 ______________ .(색동저고리 la camisa con muchos colores)
(3) 그것은 ______________ .(치마 la falda)
(4) 저것은 ______________ .(버선 calzetines)

2 Completa las siguientes oraciones como en el ejemplo.

Ejemplo
이것은 시계입니다. Esto es reloj.

(1) ________ 목걸이 __________ . (2) ________ 반지 __________ .
(3) ________ 바지 __________ . (4) ________ 치마 __________ .
(5) ________ 운동화 __________ . (6) ________ 가방 __________ .

3 Completa las oraciones siguiendo los ejemplos en la caja.

Ejemplo
pen은 한국어로 무엇입니까? ¿Cómo se dice pen en coreano?

(1) skirt는 한국어로 __________ ? (2) pants는 한국어로 __________ ?
(3) necklace는 한국어로 ______ ? (4) bag은 한국어로 __________ ?

④ Transforma las siguientes oraciones en la interrogativa como en los ejemplos.

Ejemplo

이것은 한국어로 운동화입니다. Estos son 운동화 en coreano.
→ 이것은 한국어로 운동화입니까? ¿Estos son 운동화 en coreano?

(1) 이것은 한국어로 컴퓨터입니다. Esto es 컴퓨터 en coreano.
→ ____________________

(2) 이것은 한국어로 프린터입니다. Esto es 프린터 en Votrsno.
→ ____________________

(3) 이것은 한국어로 모니터입니다. Esto es 모니터 en coreano.
→ ____________________

(4) 이것은 한국어로 키보드입니다. Esto es 키보드 en coreano.
→ ____________________

⑤ Transforma las siguientes oraciones en las formas negativas.

(1) 이것은 치마입니다. Esto es la falda.
→ ____________________

(2) 이것은 바지입니다. Estos son pahtalones.
→ ____________________

(3) 이것은 재킷입니다. Esto es la chaqueta.
→ ____________________

(4) 이것은 양복입니다. Esto es la ropa formal.
→ ____________________

Ejercicio de lectura

(1) 이것은 운동화입니다. Estos son zapatos deportivos.
(2) 저것은 컵이 아닙니다. Eso no es el vaso.
(3) 이것은 한국어로 무엇입니까? ¿Cómo se llama en coreano?
(4) 저것은 접시, 포크, 나이프입니다. Esos son laplata, tenedor y cuchillo.
(5) 이 접시는 참 예쁘군요. Esto plato es muy bonita.

제 5 과
Lección 5

어느 계절을 좋아해요?
¿Qué estación te gusta?

Frases principales

1. 어느 계절을 좋아해요? — ¿Qué estación te gusta?
   eoneu gyejeoreul joahaeyo
2. 오늘은 날씨가 흐리군요. — Hoy está nublado.
   oneureun nalssiga heurigunyo

Diálogos

Diálogo 1

수미: 헨리 씨는 어느 계절을 좋아해요?
henri ssineun eoneu gyejeoreul joahaeyo
Enrique, ¿qué estación te gusta?

헨리: 가을을 좋아해요.
gaeureul joahaeyo
Me gusta el otoño.

가을은 시원해요.
gaeureun siwonhaeyo
El otoño es fresco.

수미: 어느 계절을 싫어해요?
eoneu gyejeoreul sireohaeyo
¿Qué estación no te gusta?

헨리: 겨울을 싫어해요.
gyeoureul sireohaeyo
No me gusta el invierno.

겨울은 추워요.
gyeoureun chuwoyo
En el invieron hace frío.

Diálogo 2

수미: 오늘은 날씨가 흐리군요.
oneureun nalssiga heurigeunyo
Hoy está nublado.

헨리: 비가 올 것 같아요.
biga ol geot gatayo
Parece que va a llover.

수미: 우산 가져왔어요?
usan gajyeowasseoyo
¿Has traído paraguas?

헨리: 네, 가져왔어요.
ne gajyeowasseoyo
Sí, lo he traído.

일기예보를 보았어요.
ilgi yeboreul boasseoyo
Es que leí el pronóstico (la noticia sobre) del tiempo.

Vocabulario y frases

- 어느 cuál
- 좋아해요 gustar
- 춥다 frío
- 오늘 hoy
- 비 lluvia
- 가을 otoño
- 시원하다 hacer fresco
- 흐리다 nublado
- 일기 예보 pronóstico del tiempo
- 계절 estación
- 덥다 hace calor
- 날씨 tiempo
- 겨울 invierno
- 우산 paraguas
- 싫어해요 desagradar
- ～인 것 같아요 Parece que...
- 보다/보았어요 ver/ví
- 가져오다/가져왔어요 traer/traje

Ejercicios léxicos

Les estaciones

봄 primavera
bom

여름 verano
yeoreum

가을 otoño
gaeul

겨울 invierno
gyeoul

El clima

해
hae
sol

맑은
malgeun
despejado

구름
gureum
nube

흐린
heurin
nublado

비
bi
lluvia

눈
nun
nieve

Estructuras gramaticales y expresiones

1 La palabra interrogativa '어느' se emplea para una pregunta alternativa.

어느 : cuál

어느 계절을 좋아해요?
eoneu gyejeoreul joahaeyo
¿Cuál de las estaciones te gusta?

어느 모자를 좋아해요?
eoneu mojareul joahaeyo
¿Cuál de los sombreros te gusta?

2 El marcador del tiempo verbal del pasado '~았/었' se añade a la raíz del verbo. '~았' se emplea cuando la vocal temática del verbo es '아' o '오', mientras '~었' se emplea después de otras vocales temáticas. '~였' se analiza como una combinación de '이+었', donde '이' se inserta para facilitar la pronunciación.

~았 / 었 / 였 : 과거시제 (el tiempo pasado)

보았어요 ví
boasseoyo

알았어요 entendí
arasseoyo

먹었어요 comí
meogeosseoyo

배웠어요 aprendí
baewosseoyo

하였어요 hice
hayeosseoyo

nota '웠' es una forma combinatoria de '우y el marcador de tiempo pasado.

3 La construcción '~것 같다' indica la opinión del hablante. Dicha construcción a precedida por un modificdor verbal.

~것 같다 / ~것 같아요 : Parece que...

비가 올 것 같아요.
biga ol geot gatayo
Parece que va a llover.

눈이 올 것 같아요.
nuni ol geot gatayo
Parece que va a nevar.

존이 한 것 같아요.
joni han geot gatayo
Parece que Juan lo hizo.

④ '~ㄹ/~ㄴ', que precede a la raíz verbal forma un modificador del verbo. '~ㄹ' indica el tiempo futuro, mientras que, '~ㄴ' indica el tiempo pasado.

올 것 같아요 : Parece que va a .....
온 것 같아요 : Parece que hizo...

비가 올 것 같아요.
biga ol geot gatayo
Parece que va a llover.

비가 온 것 같아요.
biga on geot gatayo
Parece que ha llovido.

⑤ Expresiones relacionadas con las estaciones

봄은 따뜻합니다.
bomeun ttatteuthamnida
El tiempo en la primavera es tibio.

여름은 덥습니다.
yeoreumeun deopseumnida
El verano es calor.

가을은 시원합니다.
gaeureun siwonhamnida
El otoño es fresco.

겨울은 춥습니다.
gyeoureun chupsseumnida
El invierno es frio.

⑥ Expresiones relacionados con el tiempo son las siguientes.

비가 옵니다.
biga omnida
Hace llueve.

눈이 옵니다.
nuni omnida
Hace nieva.

바람이 붑니다.
barami bumnida
Hace aire.

천둥이 칩니다.
cheondung-i chimnida
Hace trueno.

⑦ Añade '~씨', cuando llama al nombre de alguna persona. Este es una forma de cortesía de llamar un nombre de un adulto. Pero no se usa este sufijo para los nombres de los niños.

수미 씨
sumi ssi
Doña. Sumi

헨리 씨
henri ssi
Don. Henry

Ejercicios

1 Responde a las siguientes preguntas.

Pregunta

Q **1** : 당신은 어느 계절을 좋아해요? ¿Cúal estación te gusta?
Q **2** : 당신은 어느 계절을 싫어해요? ¿Cúal estación no te gusta?

저는

봄
여름
가을
겨울

을 좋아해요.
Me gusta ... (   ).

을 싫어해요.
No me gusta ... (   ).

2 Completa las siguientes oraciones como en los ejemplos.

Ejemplo

Q : 오늘 날씨가 어때요?(춥다) ¿Qué tal el clima?
A : 오늘 날씨는 추워요. Hace frio.

(1) 흐리다 Está nublado.
(2) 덥다 Hace calor.
(3) 비가 오다 Llueve.
(4) 맑다 Hace sol.
(5) 눈이 오다 Nieva

3 Completa las oraciones siguiendo los ejemplos en la caja.

Ejemplo

Q : 우산을 가져왔어요? (우산) ¿Has traido paraguas?

(1) 책 el libro
(2) 가방 la mochila
(3) 펜 la pluma
(4) 시계 el reiloj
(5) 휴지 el papel

4 Transforme las siguientes oraciones en la forma del pasado.

(1) 일기 예보를 보다 leer el pronóstico del tiempo

(2) 밥을 먹다 Comer el aroz

(3) 학교에 가다 ir a la escuela

(4) 가을을 좋아하다 gustar(se) el otoño

(5) 친구를 만나다 Encontrar(se) un amigo

Ejercicio de lectura

(1) 어느 계절을 좋아해요?
¿Cúal estación te gusta?

(2) 오늘은 날씨가 흐리군요.
Hay nubes.

(3) 여름은 너무 더워요.
El verano hace mucho calor.

(4) 우산을 가져왔어요.
He traido paraguas.

(5) 저는 겨울을 싫어해요.
No me gusta invierno.

제 6 과
Lección 6

생일이 언제예요?
¿Cuándo es su cumpleaños?

Frases principales

1. 오늘은 금요일이에요. — Hoy es viernes.
   oneureun geumyoirieyo
2. 제 생일은 5월 23일이에요. — Mi cumpleaños es el día 23 de mayo.
   je saeng-ireun owol isipsamirieyo

Diálogos

Diálogo 1

헨리: 어제는 무엇을 했어요?
eojeneun mueoseul haesseoyo
¿Qué hizo ayer?

수미: 어제는 도서관에서 공부를 했어요.
eojeneun doseogwaneseo gongbureul haesseoyo
Estudié en la biblioteca ayer.

헨리: 오늘은 무슨 요일이에요?
oneureun museun yoirieyo
¿Qué día es hoy?

수미: 오늘은 금요일이에요.
oneureun geumyoirieyo
Hoy es viernes.

헨리: 내일은 학교에 갈 거예요?
naeireun hakgyoe gal geoyeyo
¿Va a la escuela mañana?

수미: 아니오, 내일은 집에 있을 거예요.
anio naeireun jibe isseul geoyeyo
No, voy a estar en casa.

Diálogo 2

헨리: 수미 씨, 생일이 언제예요?
sumi ssi saeng-iri eonjeyeyo
Sumi, ¿cuándo es su cumpleaños?

5월

일 (DOM)	월 (LUN)	화 (MAR)	수 (MIE)	목 (JUE)	금 (VIE)	토 (SAB)
	1	2	3	4	5	6
7	8	9	10	11	12	13
14	15	16	17	18	19	20
21	22	23	24	25	26	27
28	29	30	31			

수미: 제 생일은 5월 23일이에요.
je saeng-ireun owol isipsamirieyo
Mi cumpleaños es el día 23 de mayo.

헨리: 모레군요. 우리 생일 파티해요.
moregunnyo uri saeng-il patihaeyo
Pues, pasado mañana es su cumpleaños. Vamos a celeb rar con una fiesta de cumpleaños.

수미: 모레 저녁 7시에 우리 집에 오세요.
more jeonyeok ilgopsie uri jibe oseyo
Venga a mi casa a las siete de la tarde pasodo mañana.

Vocabulario y frases

- 어제 ayer
- 무슨, 무엇 qué
- 언제 cuándo
- 7시 las siete horas
- 내일 mañana
- 갈 거예요? ¿Va a ir?
- 집 casa
- 오다/오세요 venir/venga
- 모레 pasado mañana
- 우리~해요 vamos a...
- 생일파티 fiesta de cumpleaños
- 생일 cumpleaños
- 23일 vigésimotercero
- 도서관 biblioteca
- ~에서 en
- 오늘 hoy
- 금요일 viernes
- 우리 nosotro(a)s, nuestro(a)
- 아니오 no
- ~에 a
- 일, 요일 día
- 저녁 tarde
- 학교 escuela
- 공부 estudiar
- 5월 mayo

Ejercicios léxicos

Los días de semana

일요일 iryoil	월요일 woryoil	화요일 hwayoil	수요일 suyoil	목요일 mogyoil	금요일 geumyoil	토요일 toyoil
domingo	lunes	martes	miércoles	jueves	viernes	sábado

그저께(geujeokke)	anteayer
어제(eoje)	ayer
오늘(oneul)	hoy
내일(naeil)	mañana
모레(more)	pasado mañana

Meses

1월	enero	일월(irwol)	7월	julio	칠월(chirwol)
2월	febrero	이월(iwol)	8월	agosto	팔월(parwol)
3월	marzo	삼월(samwol)	9월	septiembre	구월(guwol)
4월	abril	사월(sawol)	10월	octubre	시월(siwol)
5월	mayo	오월(owol)	11월	noviembre	십일월(sibirwol)
6월	junio	유월(yuwol)	12월	diciembre	십이월(sibiwol)

Estructuras gramaticales y expresiones

1. '무슨' es una forma variante de '무엇' que precede al sustantivo y signifca 'qué'.

무슨 요일이에요? : ¿Qué día es hoy?

이것은 무엇입니까?
igeoseun mueosimnikka
¿Qué es esto?

오늘은 무슨 요일이에요?
oneureun museun yoirieyo
¿Qué día es hoy?

2. La expresión de cortesía informal que termina en '～이에요' se emplea cuando una palabra termina en consonante, mientras '～예요' se emplea cuando la palabra termina en vocal. Ambos se emplean para una afirmación o una pregunta. '～예요' es una forma de contracción en pronunciación.

언제예요? : ¿Cuándo es? **23일이에요.** : Es el día 23.

생일이 언제예요?
saeng-iri eonjeyeyo
¿Cuándo es su cumpleaños?

제 생일은 5월 23일이에요.
je saeng-ireun owol isipsamirieyo
Mi cumpleaños es el día 23 de mayo.

3. '거/것' es un marcador de tiempo futuro que se añade a raíz del verbo. '거' se emplea con '～예요' y '것' se combina con '～입니다.' Son variantes según la pronunciación.

학교에 갈 거예요. : Iré a la escuela.

집에 갈 거예요. (갈 것입니다.)
jibe gal geoyeyo
Iré a la casa.

집에 있을 거예요. (있을 것입니다.)
jibe isseul geoyeyo
Estaré en casa.

공부를 할 거예요. (할 것입니다.)
gongbureul hal geoyeyo
Estudiaré

저녁을 먹을 거예요. (먹을 것입니다.)
jeonyeogeul meogeul geoyeyo
Cenaré

④ La palabra '언제' se emplea para preguntar fechas y significa 'cuándo'.

생일은 언제예요? : ¿Cuándo es su cumpleaños?

파티는 언제예요?
patineun eonjeyeyo
¿Cuándo es su fiesta?

방학은 언제예요?
banghageun eonjeyeyo
¿Cuándo es su vacación?

⑤ La posposición posnominal '~에' se emplea para indicar el lugar, el tiempo y la dirección, mientras '~에서' se emplea para indicar solo el lugar.

도서관에서 en la biblioteca
doseogwaneseo

학교에 en la escuela/a la escuela
hakgyoe

집에 en casa
jibe

7시에 a las siete
ilgopsie

⑥ La construcción '우리 ~, raíz del verbo + 요', se emplea para sugerir una idea, como 'let's' en inglés.

우리 ~ raíz del verbo + **요** : Vamos a ...

우리 생일 파티해요.
uri saeng-il patihaeyo
Vamos a celebrar la fiesta de cumpleaños.

우리 학교에 가요.
uri hakgyoe gayo
Vamos a la escuela.

우리 집에 가요.
uri jibe gayo
Vamos a casa.

우리 텔레비전 봐요.
uri tellebijyeon bwayo
Vamos a ver el programa televisivo.

Ejercicios

1 Forme una oración empleando las palabras como en el ejemplo. (1)~(2)

(1)

Ejemplo

Q : 오늘은 무슨 요일입니까? (화요일) ¿Qué dia es hoy?
A : 오늘은 화요일입니다. Hoy es martes.

① 월요일 Lunes ② 수요일 Miércoles
③ 일요일 Domingo ④ 토요일 Sábado
⑤ 금요일 Viernes

(2)

Ejemplo

Q : 내일은 어디에 갈 거예요? (학교) ¿A dónde va a ir mañana?
A : 학교에 갈 거예요. Voy a ir a la escuela.

① 친구 집 la casa de mi amigo ② 도서관 biblioteca
③ 회사 oficina ④ 교회 iglesia
⑤ 시장 mercado

2 Complete el siguiente diálogo siguiendo el modelo.

Ejemplo

Q : 생일은 언제예요? ¿Cuándo es su cumpleaños?
A : 제 생일은 ( )이에요. Mi cumpleaños es ....

(1) 5월 23일 (2) 1월 12일 (3) 2월 5일 (4) 12월 31일
(5) 3월 7일 (6) 10월 17일 (7) 8월 28일

3 Transforme las siguientes oraciones a negativas.

(1) 학교에 가다 ir a la escuela
(2) 친구를 만나다 reunirse con los amigos

(3) 주스를 마시다 tomar algún refresco

(4) 한국어를 배우다 aprender el coreano

4 Haga una oración de sugerencia empleando la siguiente estructura.

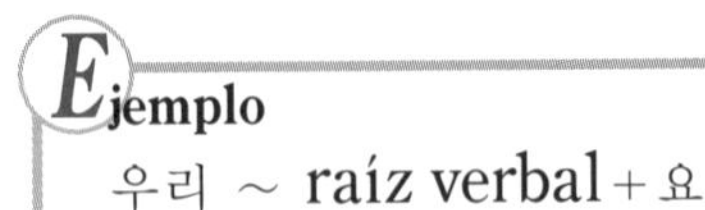

우리 ~ raíz verbal + 요

(1) 생일 파티하다 celebrar la fiesta de cumpleaños

(2) 공부하다 estudiar

(3) 학교에 가다 ir a la escuela

(4) 도서관에 가다 ir a biblioteca

(5) 집에 있다 estar en casa

Ejercicio de lectura

(1) 어제는 집에서 공부를 했어요.
Ayer estudié en casa.

(2) 오늘은 수요일입니다.
Hoy es miércoles.

(3) 주말에는 무엇을 합니까?
¿Qué haces el fin de semana?

(4) 생일이 내일이에요.
Mañana es mi cumpleaños.

(5) 모레 아침 10시에 우리 집에 오세요.
Venga a mi casa a las diez de la mañana pasado mañana.

제 7 과

Lección 7

몇 개 있어요? ¿Cuántos tiene usted?

Frases principales

1. 펜이 몇 개 있어요? ¿Cuántos boligrafos tiene usted?
   peni myeot gae isseoyo
2. 친구가 몇 명 있어요? ¿Cuántos amigos tiene usted?
   chin-guga myeot myeong isseoyo

Diálogos

Diálogo 1

인 수: 펜을 안 가져왔어요.
peneul an gajyeowasseoyo
No traje el bolígrafo.

펜이 몇 개 있어요?
peni myeot gae isseoyo
¿Cuántos bolígrafos tiene usted?

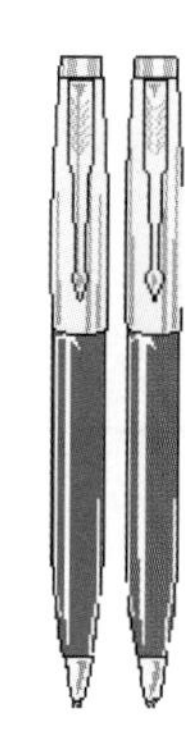

요시코: 두 자루 있어요. 빌려 드릴까요?
du jaru isseoyo billyeo deurilkkayo
Tengo dos. ¿Le presto uno?

인 수: 한 개 빌려 주세요.
han gae billyeo juseyo
Présteme uno.

요시코: 여기 있어요. 파란색이에요.
yeogi isseoyo paransaekieyo
Aquí tiene usted. Es de color azul.

인 수: 고마워요. Gracias.
gomawoyo

Diálogo 2

수 미: 요시코 씨, 한국인 친구가 몇 명 있어요?
yosiko ssi han-gugin chin-guga myeot myeong isseoyo
Yosiko, ¿cuántos amigos coreanos tiene usted?

요시코: 다섯 명 있어요. Tengo cinco.
daseot myeong isseoyo

수　미: 남자 친구도 있어요?
namja chin-gudo isseoyo
¿Tiene amigos?

요시코: 네, 남자 친구도 두 명 있어요.
ne namja chin-gudo du myeong isseoyo
Sí, tengo dos amigos.

여자 친구는 세 명이에요.
yeoja chin-guneun se myeong-ieyo
Tengo tres amigas.

수　미: 친구가 많아서 좋겠어요.
chin-guga manaseo jokesseoyo
Te envidio.

Vocabulario y frases

- 몇 개　cuántos
- 안　no
- 좋겠어요　será bueno
- 여기　aquí
- 파란색　azul
- 한국인　coreano
- 친구　amigo
- 여자 친구　amiga
- 다섯 명　cinco personas
- 빌려 주다/빌려 드리다　prestar
- 펜　bolígrafo
- 가져오다　traer
- 빌려 주세요　Présteme
- 여기 있어요　Aquí tiene usted
- 고마워요　gracias
- 몇 명　cuántas (personas)
- 남자 친구　amigo
- 많다　mucho
- 두 명　dos personas

Ejercicio léxico

Números : La segunda columna es vocalubario de origen chino y la tercera es vocabulario propio coreano.

1	일 il	하나(한) hana(han)	8	팔 pal	여덟 yeodeol
2	이 i	둘 (두) dul(du)	9	구 gu	아홉 ahop
3	삼 sam	셋 (세) set(se)	10	십 sip	열 yeol
4	사 sa	넷 (네) net(ne)	100	백 baek	백 baek
5	오 o	다섯 daseot	1,000	천 cheon	천 cheon
6	육 yuk	여섯 yeoseot	10,000	만 man	만 man
7	칠 chil	일곱 ilgop			

Estructuras gramaticales y expresiones

① Para contar cosas, se emplea el clasificador '개' después de '몇'.

몇 개 있어요? : ¿Cuántos tiene usted?

펜이 몇 개 있어요?
peni myeot gae isseoyo
¿Cuántos bolígrafos tiene usted?

연필이 몇 개 있어요?
yeonpiri myeot gae isseoyo
¿Cuántos lápices tiene usted?

② '～ㄹ까요?' es una forma de cortesía informal para preguntar desde la perspectiva de la primera persona(hablante). La estructura parecida en inglés es 'Shall I /Shall we...?'

～ㄹ까요? : ¿Vamos a....?

펜을 빌려 드릴까요?
peneul billyeo deurilkkayo
¿Le presto un bolígrafo?

학교에 갈까요?
hakgyoe galkkayo
¿Vamos a la escuela?

③ Para contar personas se, emplea el clasificador '명' después de '몇'.

몇 명 있어요? : ¿Cuántos (amigos) tiene usted?

친구가 몇 명 있어요?
chin-guga myeot myeong isseoyo
¿Cuántos amigos tiene usted?

학생이 몇 명 있어요?
haksaeng-i myeot myeong isseoyo
¿Cuántos estudiantes tiene usted?

④ Para pedir algo a alguien, emplee la expresión '빌려 주세요'.

빌려 주세요. : ¿Puede prestarme....

펜 빌려 주세요.
pen billyeo juseyo
Présteme un boli, por favor.

연필 빌려 주세요.
yeonpil billyeo juseyo
Présteme un lápiz, por favor.

돈 빌려 주세요.
don billyeo juseyo
Présteme algo de dinero, por favor.

책 빌려 주세요.
chaek billyeo juseyo
Présteme un libro, por favor.

5 '안' se usa para negar un verbo o un adjetivo precediéndolos.

안 no + verbo
안 no + adjetivo

안 가져왔어요.
an gajyeowasseoyo
No traje eso.

안 먹었어요.
an meogeosseoyo
No lo comí.

안 예뻐요.
an yeppeoyo
(Ella) no es bonita.

6 El conector causal '~아서/~어서' significa 'porque'. Dicho conector se añade a un verbo o a un adjetivo. Se puede omitir '서' sin ningún cambio del sentido.

많 + **아(서)** : Porque tiene mucho.....

친구가 많아(서) 좋겠어요.
chin-guga mana(seo) jokesseoyo
¡Qué bien está con tantos amigos!

펜을 빌려서 좋겠어요.
peneul billyeoseo jokesseoyo
¡Qué bien, ya le prestaron un bolígrafo!

7 El marcador de tiempo futuro '~겠' se emplea para indicar el futuro y se añade a la raíz de un verbo o a un adjetivo.

좋겠어요. : ¡Qué bien...!

좋겠어요.
jokesseoyo
¡Qué bien...!

가겠어요.
gagesseoyo
(Yo) iré.

공부하겠어요.
gongbuhagesseoyo
(Yo) estudiaré.

1 Complete los siguientes diálogos con una palabra.

(1) Q : 펜이 몇 개 있어요? ¿Cuántos bolígrafos tiene usted?

A : 펜이 한 개 있어요.

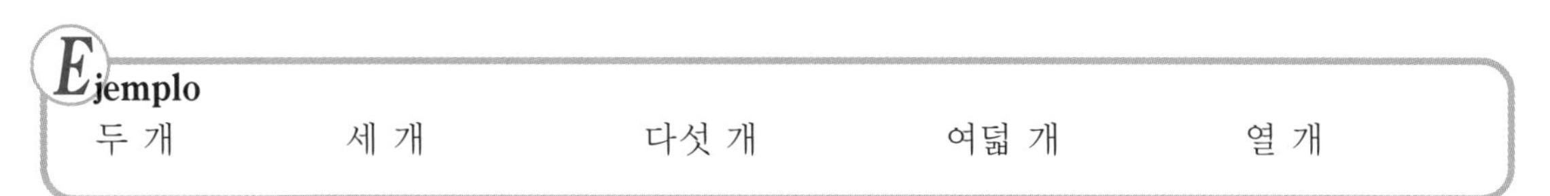

(2) Q : 친구가 몇 명 있어요? ¿Cuántos amigos tiene usted?

A : 저는 친구가 네 명 있어요.

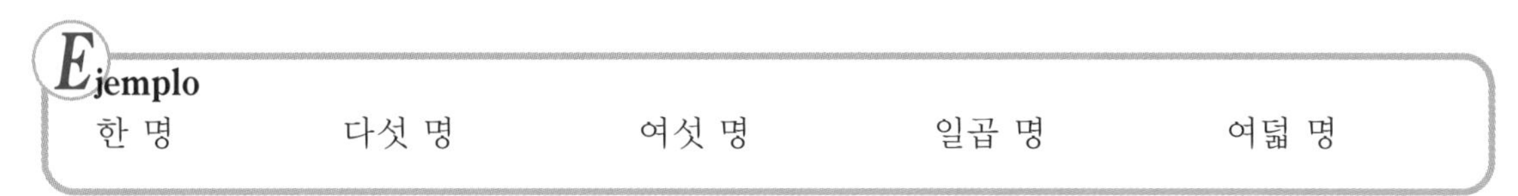

(3) 저에게 책을(를) 빌려 주세요. Présteme un libro, por favor.

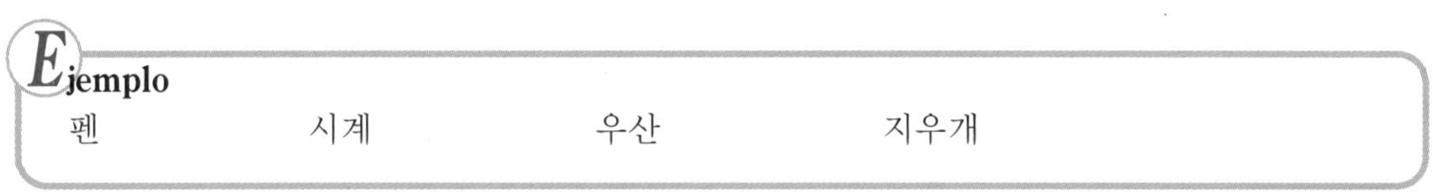

2 Ponga las siguientes oraciones en la forma interrogativa.

(1) 친구가 있다. Tengo amigos.

→ ______________________________

(2) 봄을 좋아하다. Me gusta la primavera.

→ ______________________________

(3) 비가 오다. Está lloviendo.

→ ______________________________

(4) 날씨가 흐리다. Está nublado.

→ ______________________________

(5) 우산을 가져오다. He traído un paraguas.

→ ______________________________

3 Ponga las siguientes oraciones en la forma negativa empleando '안'.

(1) 가져왔어요? ¿Lo has traido?

(2) 점심을 먹었어요. Comé almuerzo.

(3) 책을 샀어요. Compré el libro.

(4) 갈 거예요? ¿Te vas? / ¿Seva?

(5) 시원해요. Hace fresco.

Ejercicio de lectura

(1) 펜 한 개 빌려 주세요.
Prestame una pluma.

(2) 파란색 펜이 몇 개 있어요?
¿Cuántas plumas azules tiene?

(3) 한국인 친구가 몇 명 있어요?
¿Cuántos amigos coreanos tiene usted?

(4) 남자 친구가 다섯 명 있어요.
Tengo cinco amigos.

(5) 공책을 안 가져왔어요.
No ha traido cuaderno.

제 8 과
Lección 8

얼마입니까? ¿Cuánto cuesta esto?

Frases principales

1. 이것은 얼마입니까? ¿Cuánto es?/¿Cuánto vale esto?
   igeoseun eolmaimnikka
2. 모두 이천팔백 원입니다. En total, cuesta 2.800 wones.
   modu icheonpalbaek wonimnida

Diálogos

Diálogo 1

주 인: 어서 오세요. Bienvenido.
eoseo oseyo

요시코: 바나나는 백 그램에 얼마입니까?
bananananeun baek graeme eolmaimnikka
¿Cuánto vale un plátano de cien gramos?

주 인: 이백이십 원입니다. Vale 220 wones.
ibaek-isip wonimnida

요시코: 이 킬로그램 주세요. Déme dos kilos de plátanos.
ikillograem juseyo.

주 인: 여기 있습니다. Aquí tiene usted.
yeogi itseumnida

모두 사천사백 원입니다. Es 4.400 wones en total.
modu sacheonsabaek wonimnida

Diálogo 2

요시코: 오이는 얼마입니까? ¿Cuánto cuestan estos pepinos?
oineun eolmaimnikka

주 인: 세 개에 천백 원입니다. Cuestan 1.100 por tres piezas.
se gae-e cheonbaek wonimnida

요시코: 토마토는 얼마입니까?
tomatoneun eolmaimnikka
¿Cuánto cuesta un tomate?

주　인: 백 그램에 이백육십 원입니다.
baek graeme ibaek-yuksip wonimnida
Cuesta 260 wones por 100 gramos.

요시코: 오이 세 개와 토마토 1킬로그램 주세요.
oi se gaewa tomato ilkillograem juseyo
Déme tres pepinos y un kilo de tomates.

주　인: 모두 삼천칠백 원입니다.
modu samcheonchilbaek wonimnida
Es 3.700 wones en total.

Vocabulario y frases

• 어서 오세요	bienvenido(a)
• 얼마입니까?	¿Cuánto vale?
• 이백이십 원	220 wones
• 여기 있습니다	aquí tiene
• 사천사백 원	4.400 wones
• 세 개에	por tres
• 토마토	tomate
• ~와/과	y
• 바나나	plátano
• 백 그램에	por cien gramos
• 이 킬로그램	dos kilos
• 모두	en total
• 오이	pepino
• 천백 원	1.100 wones
• 이백육십 원	260 wones
• 삼천칠백 원	3.700 wones

Ejercicio léxico

Frutas

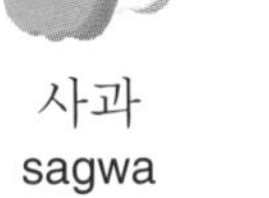
사과
sagwa
manzana

바나나
banana
plátano

파인애플
painaepeul
piña

배
bae
pera

포도
podo
uva

수박
subak
sandía

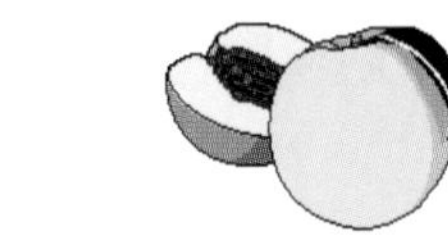
복숭아
boksunga
naranja

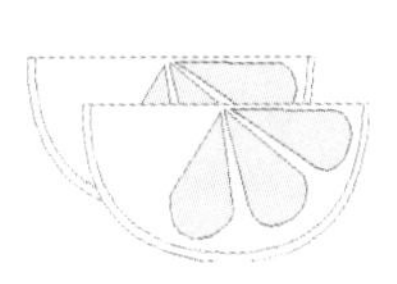
오렌지
orenji
mandarina

감
gam
kaki

레몬
remon
limón

Verduras

오이 pepino
oi

호박 calabaza
hobak

무 rábano
mu

시금치 espinaca
sigeumchi

콩 alubia
kong

당근 zanahoria
dang-geun

배추 col china
baechu

양배추 col/repollo
yangbaechu

고추 pimienta
gochu

파 cebollita
pa

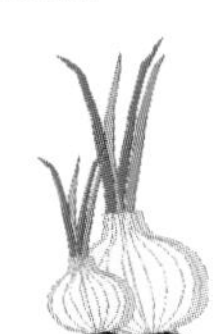

양파 cebolla
yangpa

마늘 ajo
maneul

Denominación de dinero

십 원	10 wones [sib won]	천 원	1.000 wones [cheon won]
오십 원	50 wones [osib won]	오천 원	5.000 wones [ocheon won]
백 원	100 wones [baeg won]	만 원	10.000 wones [man won]
오백 원	500 wones [obaeg won]		

Estructuras gramaticales y expresiones

1 Para preguntar precios, utilice la expresión '얼마입니까?'.

얼마입니까? : ¿Cuánto cuesta esto?

바나나 100g에 얼마입니까?
banana baekgeuraeme eolmaimnikka
¿Cuánto cuesta 100 gramos de plátano?

토마토 100g에 얼마입니까?
tomato baekgeuraeme eolmaimnikka
¿Cuánto cuesta 100 gramos de tomate?

2 Al comprar alguna cosa, utilice la expresión '주세요'. Normalmente '주세요' significa 'deme algo'. Esta expresión es ampliamente usada para comprar, ordenar y pedir un favor.

~ 주세요. : Por favor, deme ...

사과를 세 개 주세요.
sagwareul se gae juseyo
Por favor, déme tres manzanas.

바나나를 주세요.
bananareul juseyo
Por favor, déme plátano.

3 Emplee la expresión '모두', para expresar la cantidad o número total.

모두 삼천칠백 원입니다. : Todo vale 3.700 wones.

모두 사천사백 원입니다.
modu sacheonsabaek wonimnida
Es 4.400 wones en total.

모두 천오십 원입니다.
modu cheon-osip wonimnida
Es 1.050 wones en total.

4 '~에' en '백 그램에' corresponde a 'por' en español.

100g에 220 원 : 220 wones por 100 gramos.
1kg에 2,600 원 : 2.600 wones por 1kg.

100g에 150 원입니다.
baekgeuraeme baek-osip wonimnida
150 wones por 100 gramos.

1kg에 1,500 원입니다.
ilkillograeme cheon-obaek wonimnida
1.500 wones por 1kg.

5 Se emplea '~와/과' para enlazar sustantivos como 'y' en español. Agregue '~와' después de un sustantivo que termina en vocal, y '~과' después de un sustantivo que termina en consonante.

오이 세 개와 토마토 두 개 : tres pepinos y dos tomates.

바나나와 사과
bananawa sagwa
plátano y manzanas

감자 1kg과 당근 600g
gamja ilkillograemgwa dang-geun yukbaekgraem
1kg de papas y 600 gramos de zanahorias

Ejercicios

1 Complete las siguientes oraciones empleando las palabras dadas. (1)~(2).

(1) (   )은(는) 100g에 얼마입니까?

¿Cuánto cuesta 100 gramos de (   )?

Ejemplo

바나나　　오렌지　　딸기　　자두　　앵두　　사과

(2) (   )은(는) 얼마입니까?

¿Cuánto cuestan los (   )?

Ejemplo

토마토　　당근　　오이　　고추　　마늘

2 Practique las siguientes expresiones empleando las palabras dadas.

100g 두 개 세 개 1kg 한 근	에	이천 원 이천오백 원 천 원 오천 원 삼천오백 원	입니다.

nota Fíjese que '근' es una unidad de peso que se usa en Corea. Un '근' equivale aproximadamente 450 gramos o 600 gramos dependiendo de si es on '근' pequeño a un '근' grande, respectivamente.

3 Lea los siguientes precios.

(1) 230 원　　(2) 12,300 원　　(3) 7,560 원

(4) 354,000 원　　(5) 90 원

4 Escriba la expresión total.

(1) (   ) 5.600 원입니다.　　(2) (   ) 7.200 원입니다.

(3) (   ) 1.800 원입니다.

Ejercicio de lectura

(1) 사과는 얼마예요?
¿Cuánto cuestan las manzanas?

(2) 감은 얼마예요?
¿Cuánto cuestan los kakis?

(3) 사과 한 봉지에 삼천육백 원입니다.
Cuesta 3.600 wones por bolsa de manzana.

(4) 오렌지 한 개에 오백 원이에요.
Cada naranja cuesta 500 wones.

(5) 토마토 2kg 주세요.
Por favor, déme 2 kg de tomates.

제 9 과 Lección 9

비빔밥 한 그릇 주세요.
Déme un bibimbab, por favor.

Frases principales

1. 무엇을 드시겠습니까? ¿Qué desea comer usted?
   mueoseul deusigesseumnikka
2. 비빔밥 한 그릇 주세요. Voy a pedir un bibimbab.
   bibimbap han geureut juseyo

Diálogos

Diálogo 1

종업원: 무엇을 드시겠습니까? ¿Qué desea comer usted?
mueoseul deusigesseumnikka

메뉴에 불고기, 비빔밥, 설렁탕이 있어요.
menyue bulgogi bibimbap seolleongtang-i isseoyo
Tenemos bulgogui, bibimbab, y seoleongtang en el menú.

인 수: 저는 비빔밥 한 그릇 주세요.
jeoneun bibimbap han geureut juseyo
Por favor, déme un bibimbab.

요시코: 저는 설렁탕을 먹을래요. Yo voy a comer seoleongtang.
jeoneun seolleongtang-eul meogeullaeyo

종업원: 잠시만 기다리세요.
jamsiman gidariseyo
Espere un momento.

여기 설렁탕 한 그릇, 비빔밥 한 그릇입니다.
yeogi seolleongtang han geureut bibimbap han geureut-imnida
Aquí están un bibimbab y un seoleongtang.

요시코: (다 먹고 난 후) 설렁탕이 맛있어요.
seolleongtang-i masisseoyo
El seolleongtang es rico.

Diálogo 2

요시코: 이 자동판매기는 어떻게 사용해요?
i jadongpanmaegineun eotteoke sayonghaeyo
¿Cómo se usa esta maquina dispensadora?

인　수: 100원짜리 동전을 세 개 넣으세요.
baekwonjjari dongjeoneul se gae neoeuseyo
Por favor, inserte 3 monedas de 100 wones.

그리고 버튼을 누르세요. Y luego, oprima un boton.
geurigo beoteuneul nureuseyo

요시코: 어느 것을 누를까요?
eoneu geoseul nureulkkayo
¿Qué boton tengo que presionar?

밀크 커피, 설탕 커피, 블랙 커피가 있어요.
milk keopi seoltang keopi beullaek keopiga isseoyo
Hay café con leche, café con azúcar, y café solo.

인　수: 저는 밀크 커피 마실게요.
jeoneun milk keopi masilgeyo
Yo tomaré un café con leche.

Vocabulario y frases

- ~드시겠습니까? ¿Desea comer ... ?
- 비빔밥 bibimbap
- 불고기 bulgogui
- 설렁탕 seolleongtang
- 메뉴 menú
- 잠시 기다려요 espere un momento
- 맛있다 es delicioso/rico
- 이 este
- 자동판매기 máquina dispensadora
- 어떻게 cómo
- 사용하다 usar
- 100원짜리 la moneda de 100 wones
- 동전 moneda
- 넣다 insertar
- 그리고 y
- 버튼 botón
- 누르다 presionar
- 어느 것 cuál
- 밀크 커피 café con leche
- 설탕 커피 café con azúcar
- 블랙 커피 café solo
- 마시다 beber/tomar
- 마실게요 voy a beber

Ejercicios de vocabulario

Comida coreana

김치 (Kimchi)
포기김치, 물김치, 깍두기, 보쌈김치, 총각김치, 오이소박이, 파김치, 부추김치, 깻잎김치

밥 (Arroz cocido a vapor)
쌀밥, 보리밥, 잡곡밥, 팥밥, 차조밥

나물 (verdura de estación)
시금치, 콩나물, 고사리, 숙주나물, 파래무침, 도라지무침, 오이무침, 호박볶음, 무채나물

생선 (pescado)
조기, 옥돔, 참치, 꽁치, 갈치, 고등어, 가자미, 대구, 명태

전 (tortilla coreana)
고기산적, 녹두지짐, 파전, 깻잎전, 호박전, 감자전

찌개 (caldo coreano)
된장찌개, 김치찌개, 참치찌개, 두부찌개, 비지찌개, 동태찌개, 버섯전골, 오징어전골

국 (sopa)
미역국, 북어국, 쇠고기국, 감자국, 무국, 시금치된장국, 배추된장국, 콩나물국, 육개장, 떡국, 만두국, 삼계탕

Estructuras gramaticales y expresiones

① Al pedir comida en un restaurante, emplee '인 분' después de la numeración de origen chino, y '그릇' después de la numeración coreana.

(1) 비빔밥 ________ 그릇 : '한 그릇' es una forma de ordenar comida.
bibimbap geureut

한	세	다섯	일곱	열

(2) 불고기 ________ 인분 : '일 인 분' es otra forma de ordenarla.
bulgogi inbun

일	이	육	구	십

② Emplee la expresión '드시겠습니까?' para preguntar preferencia de comida. Al analizar la expresión '드시겠습니까?' es posible descomponer por '드시 + 겠 + 습니까?'. '드시다' es la forma respetuosa de verbo '먹다' '시' es el marcador honorífico, '겠' es el marcador de tiempo futuro y '습니까?' es la terminación formal de una pregunta.

________ **을(를) 드시겠습니까?** : ¿Desea comer usted (   )?

비빔밥	불고기	우동	국수	수제비	떡국
bibimbab	bulgogi	udong	guksu	sujebi	tteokgug

③ '먹을래요?' es el estilo informal de hacer una pregunta que se puede descomponer en '먹다 (eat)+으+ㄹ래요?'. '~ㄹ래요?' se utiliza para interrogar la intención del oyente. Se inserta '으' para facilitar la pronunciación porque el radical de verbo '먹다' es '먹' y termina en consonante. Tambien se podría hacer el mismo análisis para '마실래요?', descomponiendo en '마시다 (beber, tomar)+ㄹ래요?'. A diferencia de '먹을래요?', el radical del verbo termina en vocal, por lo tanto no es necesario insertar otra vocal. Es posible utilizar la misma oración en forma enunciativa bajando la entonación. En tal caso, '~ㄹ래요?' significa la intención del hablante.

________ **을(를) 먹을래요? :** ¿Desea comer (   )?
________ **을(를) 마실래요? :** ¿Desea beber (   )?

라면 ramyeon	피자 pija	김밥 gimbap	햄버거 haembeogeo	국수 guksu
커피 keopi	콜라 kolla	사이다 saida	주스 juseu	

④ Para pedir comida en un restaurante, utilice la expresión '주세요'. Recuerde que la misma expresión había sido usada para comprar algo. (L8)

________ **주세요. :** Por favor, déme (   ).

삼계탕 일인 분 samguetang ilinbun	한정식 이인 분 hancheongsik i-inbun	불고기 육인 분 bulgogi yuk-inbun
설렁탕 한 그릇 seoleongtang han geureut	자장면 세 그릇 jajangmyeon se geureut	

⑤ '어떻게' es una palabra que forma una interrogación equivalente a 'cómo' y pregunta la manera de hacer algo.

어떻게 : ¿Cómo ... ?

어떻게 사용해요? eotteoke sayonghaeyo ¿Cómo se usa?	어떻게 가요? eotteoke gayo ¿Cómo tengo que ir?

⑥ La oración que termina con '마실게요' se usa con un verbo para indicar la intención en primera persona.

~(으)ㄹ게요. : Voy a + inf

밀크 커피 마실게요.	공부할게요.	불고기 먹을게요.
milk keopi masilgeyo	gongbuhalgeyo	bulgogi meogeulgeyo
Voy a tomar café con leche.	Voy a estudiar.	Voy a comer bulgogui.

Ejercicios

1 Proporcione una respuesta adecuada para cada pregunta, empleando el vocabulario que figura entre paréntesis.

Pregunta
Q : 무엇을 드시겠습니까? ¿Qué desea comer usted?

(1) ____________ 먹을래요. (불고기)　　(2) ____________ 먹을래요. (설렁탕)
(3) ____________ 먹을래요. (자장면)　　(4) ____________ 먹을래요. (우동)

2 Proporcione las interrogaciones apropiadas que pregunta si la comida es rica.

(1) 비빔밥이 ________________?　　(2) 불고기가________________?
(3) 설렁탕이 ________________?　　(4) 자장면이 ________________?
(5) 물냉면이 ________________?　　(6) 된장찌개가 ________________?

3 Pida la comida utilizando las palabras del cuadro.

김밥	생선초밥	짬뽕	갈비	비빔냉면
만두국	떡만두국	칼국수	버섯전골	오징어전골

(1) Utilice '그릇' para ordenar.

Ejemplo
칼국수 한 그릇 주세요. Déme un 칼국수, por favor.

① ____________________ 주세요.　　② ____________________ 주세요.
③ ____________________ 주세요.　　④ ____________________ 주세요.
⑤ ____________________ 주세요.

(2) Utilice '~인 분' para ordenar.

Ejemplo

만두 이 인 분 주세요. Déme dos porciones de 만두, por favor.

① ________________ 주세요. ② ________________ 주세요.

③ ________________ 주세요. ④ ________________ 주세요.

⑤ ________________ 주세요.

4 Empleando las palabras usadas en el ejercicio **3** complete las siguientes oraciones.

(1) ____________ 이(가) 맛있어요. (2) ____________ 이(가) 맛없어요.

(3) ____________ 이(가) 맛있어요. (4) ____________ 이(가) 맛없어요.

(5) ____________ 이(가) 맛있어요. (6) ____________ 이(가) 맛없어요.

(7) ____________ 이(가) 맛있어요. (8) ____________ 이(가) 맛없어요.

5 Complete las siguientes oraciones utilizando las palabras del cuadro.

Ejemplo

밀크 커피 설탕 커피 블랙 커피 율무차 코코아 유자차

▸ ¿Desea tomar (   )?

(1) ____________ 마실래요? (2) ____________ 마실래요?

(3) ____________ 마실래요? (4) ____________ 마실래요?

(5) ____________ 마실래요? (6) ____________ 마실래요?

Ejercicio de lectura

(1) 무엇을 드시겠습니까? ¿Qué desea comer usted?

(2) 자장면 한 그릇 주세요. Por favor, déme un jajangmyeon.

(3) 100원짜리 동전을 다섯 개 넣으세요. Por favor, inserte 5 monedas de 100 wones.

(4) 저는 블랙 커피 마실게요. Voy a tomar café solo.

(5) 우동 두 그릇 주세요. Por favor, traiga 2 udong.

제 10 과
Lección 10

여보세요? ¿Oiga?

Frases principales

1. 여보세요? ¿Oiga?
   yeoboseyo
2. 수미 씨 있어요? ¿Está Sumi?
   sumi ssi isseoyo

Diálogos

Diálogo 1

요시코: 여보세요? 인수 씨 있어요?
yeoboseyo insu ssi isseoyo
¿Oiga? ¿Está Insu?

인 수: 저예요. 요시코 씨. Yosiko, soy yo.
jeoyeyo yosiko ssi

요시코: 몇 시에 만날까요?
myeot sie mannalkkayo
¿A qué hora nos encontramos?

인 수: 2시에 만나요. Nos vemos a las 2.
dusie mannayo

요시코: 어디에서 만날까요? ¿En dónde nos vemos?
eodieseo mannalkkayo

인 수: 이태원 맥도날드에서 만나요.
itaewon maekdonaldeu-eseo mannayo
Vamos a ver nos en McDonald's de Itaewon.

Diálogo 2

요시코: 여보세요? ¿Oiga?
yeoboseyo

소 라: 누구세요? ¿Quién es?
nuguseyo

요시코: 저는 요시코예요. Soy Yosiko.
jeoneun yosikoyeyo

소　라: 누구 찾으세요? ¿Con quién quiere hablar?
nugu chajeuseyo

요시코: 인수 씨를 찾습니다.
insu ssireul chasseumnida
Quisiera hablar con Insu.

소　라: 지금 여기 안 계십니다.
jigeum yeogi an gyesimnida
Ahora no está aquí.

요시코: 요시코가 전화했다고 전해 주세요.
yosikoga jeonhwahaetdago jeonhae juseyo
Por favor, dígale que ha llamado Yosiko.

Vocabulario y frases

- ~씨 Sra. o Sr.
- 있어요? ¿Está alli...?
- 없어요? ¿No está alli...?
- 저예요 soy yo
- 지금 ahora
- 여기 aquí
- 안 no
- 2시 dos horas
- 어디에서 dónde
- 이태원 Itaewon
- 맥도날드 McDonald's
- 여보세요? ¿Oiga? (teléfono)
- 누구 quién
- (누구를) 찾으세요? ¿Busca a alguien?
- 몇 시 ¿Qué hora es?
- 만날까요? ¿Nos vemos?
- 만나다 encontrarse
- 계십니다 (ella) está aquí
- 안 계십니다 (ella) no está aquí
- 전화했다고 llamé
- 전해 주세요 Por favor, dígale
- 전화 teléfono

Ejercicios de vocabulario

La hora

- 한 시 1:00 hansi
- 두 시 2:00 dusi
- 세 시 3:00 sesi
- 네 시 4:00 nesi
- 다섯 시 5:00 daseotsi
- 한 시 반 1:30 hansi ban
- 두 시 반 2:30 dusi ban
- 세 시 반 3:30 sesi ban
- 네 시 반 4:30 nesi ban
- 한 시 십 분 1:10 hansi sipbun
- 두 시 이십 분 2:20 dusi isipbun
- 세 시 사십 분 3:40 sesi sasipbun
- 네 시 십 분 전 3:50 nesi sipbun jeon
- 다섯 시 십오 분 전 4:45 daseotsi sipobun jeon

세 시 3:00
sesi

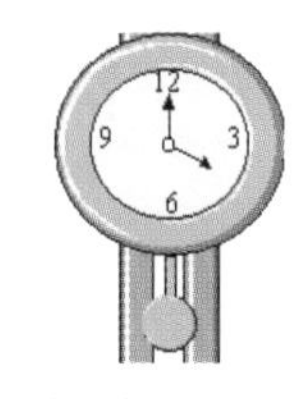

네 시 4:00
nesi

열두 시 오십오 분 12:55
yeoldusi osipobun
한 시 오 분 전
hansi obun jeon

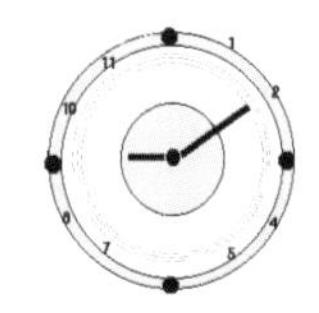

아홉 시 십 분 9:10
ahobsi sipbun

여섯 시 오십 분 6:50
yeoseotsi osipbun
일곱 시 십 분 전
ilgopsi sipbun jeon

두 시 오십오 분 2:55
dusi osipobun
세 시 오 분 전
sesi obun jeon

한 시 사십오 분 1:45
hansi sasipobun

다섯 시 5:00
daseotsi

열두 시 사십 분 12:40
yeoldusi sasipbun

열 시 반 10:30
yeolsi ban
열 시 삼십 분
yeolsi samsipbun

열한 시 오 분 11:05
yeolhansi obun

Tipos de interrogativo

누구 (quién)	**무엇** (qué)	**어디** (dónde)	**언제** (cuándo)
어느 것 (cuál)	**어떻게** (cómo)	**왜** (por qué)	

누구를 좋아합니까?
nugureul joahamnikka
¿A quién quiere?

무엇을 합니까?
mueoseul hamnikka
¿Qué hace usted?

어디에 갑니까?
eodie gamnikka
¿A dónde va usted?

언제 갑니까?
eonje gamnikka
¿Cuándo va usted?

어느 것을 좋아합니까?
eoneu geoseul joahamnikka
¿Cuál de estos le gusta?

어떻게 사용합니까?
eotteoke sayonghamnikka
¿Cómo se usa?

Estructuras gramaticales y expresiones

① Para hacer una llamada, emplee la expresión '여보세요?' para iniciar la conversación.

여보세요? : ¿Oiga?

② Si la persona con la que desea hablar por teléfono está disponible o no, utilice la expresión '있어요?'. La expresión más corta de '있어요?' es '계세요?'. '있어요?' se usa entre los amigos o para una persona muy cercana. Se emplea '계세요?' para la persona de una jerarquía social más alta, para a una persona mayor o para las que mantienen las relaciones formales.

__________ **있어요? / 계세요?** : ¿Está __________ ?

수미 씨	헨리 씨	소라 씨	앤디 씨	영주 씨	존 씨
사장님	과장님	목사님	원장님	선생님	신부님

③ Cuando usted no reconoce a la persona que ha llamado por teléfono, pregunte quién es, utilizando la expresión '누구세요?'. Si la persona que ha llamado es una persona desconocida para usted, utilice la expresión '누구 찾으세요?'.

누구세요? : ¿Quién es?
누구(를) 찾으세요? : ¿Con quién quiere hablar? (A quién está buscando usted?)

④ La pregunta que termina con '~(으)ㄹ까요?' interroga la intención del oyente.

__________ **만날까요?** : ¿Nos vemos __________?

두 시에	네 시에	다섯 시에	일곱 시에
du sie	ne sie	daseot sie	ilgop sie
a las dos	a las cuatro	a las cinco	a las siete

⑤ Para una oración informal, agregue '~요' después del radical de un verbo. '~에서' es una palabra calificativa ubicada después de un sustantivo.

__________ **에서 만나요.** : Nos vemos en __________.

맥도날드	버거킹	웬디스	지하철역
maekdonaldeu	beogeoking	wendis	jihacheolyeok
McDonald's	Burger King	Wendy's	Estación de metro

⑥ Para dejar un mensaje, emplee la expresión '~고 전해 주세요' después de formular la oración. '~고' es un enlace complementario de la oración y su función equivale a 'que' del español.

> **~고 전해 주세요** : Por favor, dígale que ~

전화했다고 전해 주세요. Por favor, digale que he llamado.
jeonhwahaetdago jeonhae juseyo

찾는다고 전해 주세요. Por favor, digale que lo estoy buscando.
channeundago jeonhae juseyo

Fíjese que el marcador de tiempo pasado '~었' se agrega al radical de un verbo, proporcionado una forma como '전화했다'. El marcador de tiempo presente '~는' también se agrega después del radical de un verbo, resultando en '찾는다'.

Ejercicios

1 Complete el siguiente diálogo, empleando los nombres que figuran entre paréntesis.

> **Ejemplo**
> 여보세요? 수미 씨 있어요? : ¿Oiga? ¿Está Sumi allí?

(1) ______? ______ 있어요?(요시코) (2) ______? ______ 있어요?(재헌)

(3) ______? ______ 있어요?(사무엘) (4) ______? ______ 있어요?(푸휘)

2 Proprocione las respuestas a las siguientes preguntas, fijándose en el significado escrito entre paréntesis.

> **Ejemplo**
> 여보세요? (su nombre) 씨 있어요?

Respuesta 1 : ____________ (cuando usted conoce la persona que ha llamado)

Respuesta 2 : ______________ (cuando usted desconoce a la persona que ha llamado)

3 Inserte las palabras adecuadas en los espacios dispuestos.

(1) __________에 만날까요? (Pregunta sobre la hora)
(2) __________에 만나요. (Respuesta sobre la hora)
(3) __________에서 만날까요? (Pregunta sobre el lugar)
(4) __________에서 만나요. (Respuesta sobre el lugar)

4 Escriba nuevamente la oración empleando la palabra más cortés.

(1) 나는 인수예요. → __________. Yo soy Insu.
(2) 그녀는 요시코예요. → __________. Ella es Yosiko.
(3) 우리는 학생이에요. → __________. Nosotros somos estudiantes.
(4) 그들은 선생님이에요. → __________. Ellos son profesores.
(5) 이 사람은 누구예요? → __________. ¿Quién es esta persona?
(6) 나는 이사를 만났어요. → __________. Me encontré con 이사.
(7) 나는 전무를 만났어요. → __________. Me encontré con 전무.
(8) 나는 부장을 만났어요. → __________. Me encontré con 부장.
(9) 나는 과장을 만났어요. → __________. Me encontré con 과장.

Ejercicio de lectura

(1) 여보세요? 114입니까?
¿Oiga? ¿Es el 114?

(2) 인수 씨 있어요?
¿Está Insu?

(3) 요시코가 전화했다고 전해 주세요.
¿Por favor, dígale que ha llamado Yosiko.

(4) 몇 시에 어디에서 만날까요?
¿A qué hora y en dónde nos vemos?

(5) 인수 씨는 지금 여기 안 계십니다.
Insu no está aquí ahora.

제 11 과
Lección 11

이태원은 어떻게 가요?
¿Cómo puedo ir a Itaewon?

Frases principales

1. 이태원은 어떻게 가요? — ¿Cómo puedo ir a Itaewon?
   itaewoneun eotteoke gayo
2. 지하철을 타세요. — Tome el metro.
   jihacheoreul taseyo

Diálogos

Diálogo 1

존 : 이태원은 어떻게 가요?
itaewoneun eotteoke gayo
¿Cómo puedo ir a Itaewon?

유미: 지하철 6호선을 타세요.
jihacheol yukhoseoneul taseyo
Tome el metro línea 6.

그리고, 이태원 역에서 내리세요.
geurigo itaewon yeogeseo naeriseyo
Y baje en la estación Itaewon.

존 : 맥도날드는 어떻게 가요?
maekdonaldneun eotteoke gayo
¿Cómo puedo ir a McDonald's?

유미: 지하철 역에서 걸어서 가세요.
jihacheol yeogeseo georeoseo gaseyo
Anda desde la estación de metro.

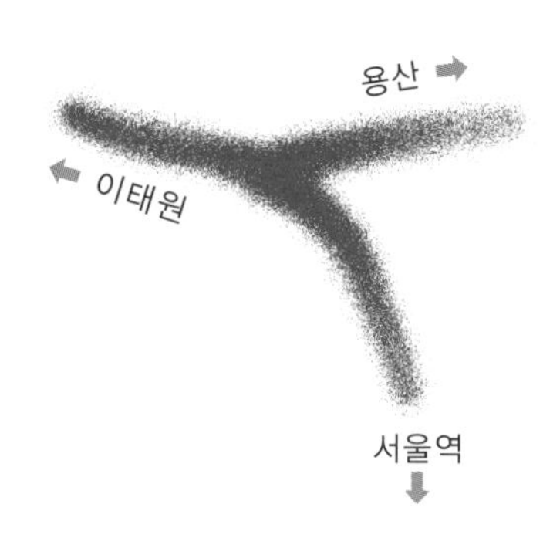

존 : 걸어서 얼마나 걸려요?
georeoseo eolmana geollyeoyo
¿Cúanto se tarda andando?

유미: 금방이에요.
geumbangieyo
Se tarda mucho.

Diálogo 2 존 : 이태원 역 한 장 주세요.
itaewon-yeok hanjang juseyo
Por favor, déme un billete hasta la estación Itaewon.

직원: 900원입니다.
gubaek wonimnida
Es 900 wones.

존 : 어느 쪽으로 가요?
eoneu jjogeuro gayo
¿Por qué camino tengo que ir?

직원: 저 표시를 따라가세요.
jeo pyosireul ttaragaseyo
Por favor, siga aquella señal.

존 : 감사합니다. Gracias.
gamsahamnida

(지하철을 탄다.) Toma el metro.
jihacheoreul tanda

지하철 방송: 다음 역은 이태원역입니다.
daeum yeogeun itaewon-yeogimnida
La proxima estación es Itaewon.

내리실 문은 왼쪽입니다.
naerisil muneun oenjjogimnida
La puerta de salida es la de la izquierda.

Vocabulario y frases

- 900원 — 900 wones
- 어떻게 — cómo
- 지하철 — metro
- 6호선 — línea 6
- 이태원 역 — estación Itaewon
- 내리세요 — baje
- 타세요 — tome
- 왼쪽 — lado izquierdo
- 어떻게 가요? — ¿Cómo puedo ir a ... ?
- 걸려요 — tarda (relacionado a tiempo)
- 내리실 문 — la puerta de salida
- 어느 — cuál
- 어느 쪽 — a qué dirección
- 저기 — allí
- 표시 — señal
- 따라가세요 — seguir
- 다음 — próximo(a)
- 다음 역 — próxima estación
- 걸어서 — a pie

Ejercicio léxico

Medios de transporte

자전거 bicicleta
jajeongeo

오토바이 motocicleta
otobai

승용차 coche
seungyongcha

버스 autobús
beos

기차 tren
gicha

지하철 metro
jihacheol

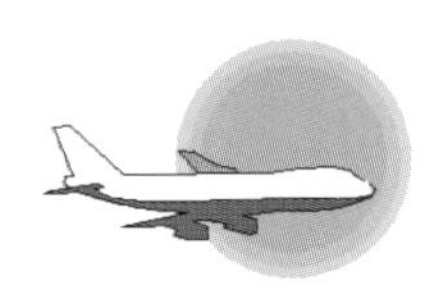
비행기 avión
bihaenggi

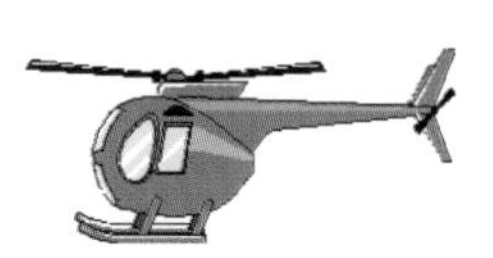
헬리콥터 helicóptero
hellikopteo

여객선 barco de pasajeros
yeogaekseon

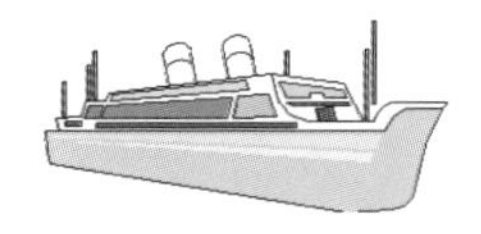
유람선 crucero
yuramseon

트럭 camión
teureok

택시 taxi
taeksi

Estructuras gramaticales y expresiones

① Para preguntar cómo llegar a un lugar determinado, utilice la siguiente expresión.

________ 은(는) 어떻게 가요? : ¿Cómo puedo ir a ________ ?

맥도날드
maekdonaldeu
McDonald's

지하철 역
jihacheolyeok
la estación de metro

이태원
itaewon
Itaewon

학교
hakgyo
la escuela

출입국 관리 사무소
churipguk gwalli samuso
la oficina de inmigración

2 Para preguntar por una dirección determinada, utilice la siguiente expresión.

________ **으로 가요?** : ¿A qué dirección tengo que ir?

어느 쪽 ¿A qué dirección?
eoneu jjok

이쪽 este camino
ijjok

저쪽 aquel camino
jeojjok

그쪽 ese camino
geujjok

3 Para un medio de transporte, utilice la siguiente expresión.

________ **(을)를 타세요.** : Tome ________ .

지하철 el metro
jihacheol

택시 on taxi
taeksi

승용차 el coche
seungyongcha

버스 el autobús
beos

자전거 la bicicleta
jajeongeo

오토바이 la motocicleta
otobai

Ejercicios

1 Complete las siguientes frases empleando las palabras del cuadro.
(1)~(3)

(1)

Ejemplo
이태원, 김포공항, 여의도, 한강시민공원, 롯데월드, 민속촌

① ________________은(는) 어떻게 가요?

② ________________은(는) 어떻게 가요?

③ ________________은(는) 어떻게 가요?

④ ________________은(는) 어떻게 가요?

⑤ ________________은(는) 어떻게 가요?

(2)

Ejemplo
기차, 배, 버스, 택시, 승용차

① ____________________ 을(를) 타고 가(세)요.
② ____________________ 을(를) 타고 가(세)요.
③ ____________________ 을(를) 타고 가(세)요.
④ ____________________ 을(를) 타고 가(세)요.
⑤ ____________________ 을(를) 타고 가(세)요.

(3)

Ejemplo
지하철을(를) 타세요.

① ____________________ (버스 autobús)
② ____________________ (택시 taxi)
③ ____________________ (유람선 crucero)
④ ____________________ (오토바이 motocicleta)
⑤ ____________________ (자전거 bicicleta)

2 Responda a la pregunta, utilizando las palabras para designar las direcciones que figuran entre paréntesis.

Ejemplo
어느 쪽으로 가야 돼요?

(1) ____________________ 으로 가세요. (왼쪽 la izquierda)
(2) ____________________ 으로 가세요. (오른쪽 la derecha)
(3) ____________________ 으로 가세요. (이쪽 este camino)
(4) ____________________ 으로 가세요. (저쪽 aquel camino)
(5) ____________________ 가세요. (곧장 ese camino)

3 Complete las siguientes frases, empleando los nombres de los lugares que usted conoce.

(1) ____________________에 가요.

(2) ____________________에 가요.

(3) ____________________에 가요.

(4) ____________________에 가요.

(5) ____________________에 가요.

Ejercicio de lectura

(1) 소라 씨, 집에는 어떻게 가요?
Sora, ¿cómo va usted a su casa?

(2) 서울역 한 장 주세요.
Por favor, déme un billete para la estación de Seúl.

(3) 어느 쪽으로 가세요?
¿Por cuál camino va a ir usted?

(4) 지하철로 얼마나 걸려요?
¿Cuánto se tarda en metro?

(5) 어디에서 내리세요?
¿En dónde va a bajar usted?

제 12 과
Lección 12

저는 내일 여행 갈 거예요.
Voy a viajar mañana.

Frases principales

1. 저는 내일 여행 갈 거예요. Voy a viajar mañana.
   jeoneun naeil yeohaeng gal geoyeyo
2. 무궁화호 한 장 주세요. Por favor, déme un billete del Mugunghwaho.
   mugunghwaho han jang juseyo

Diálogos

Diálogo 1

존 : 저는 내일 여행 갈 거예요.
jeoneun naeil yeohaeng gal geoyeyo
Voy a viajar mañana.

유미: 어디 가세요?
eodi gaseyo
¿A dónde va usted?

존 : 경주에 갈 거예요. Voy a ir a Gyeongju.
gyeongjue gal geoyeyo

한국의 전통적인 도시를 보고 싶어요.
hangugui jeontongjeogin dosireul bogo sipeoyo
Quiero ver algunas ciudades tradicionales de Corea.

유미: 불국사가 가장 유명해요. 꼭 가 보세요.
bulguksaga gajang yumyeonghaeyo kkok ga boseyo
El templo budista Bulgugsa es el lugar más famoso. Debería ir.

좋은 여행 되세요. Tenga buen viaje.
joeun yeohaeng doeseyo

Diálogo 2

존 : 3시 30분 무궁화호 한 장 주세요.
sesi samsipbun mugunghwaho han jang juseyo
Por favor, déme un billete del Mugunghwaho de las 3:30.

직원 : 어디 가세요? ¿A dónde va usted?
eodi gaseyo

존 : 설악산에 갑니다.
seoraksane gamnida
Voy a ir al monte Seorak.

직원 : 조금 늦으셨어요. 방금 떠났어요.
jogeum neujeusyeosseoyo bang-geum tteonasseoyo
Llegó un poco tarde. Recién salió.

존 : 다음 열차는 몇 시에 있습니까?
daum yeolchaneun myeot sie itseumnikka
¿Cúal es el siguiente tren?

직원 : 4시 10분 새마을호입니다.
nesi sipbun saemaeulhoimnida
Es el Saemaeulho de las 4:10.

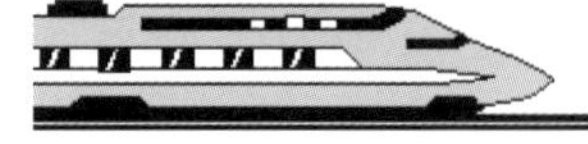

존 : 새마을호 한 장 주세요.
saemaeulho han jang juseyo
Por favor, déme un billete del Saemaeulho.

Vocabulario y frases

- 내일 mañana
- 여행 viaje
- 갈 거예요 voy a ir
- 어디 dónde
- 가세요? ¿Va a ir a ...?
- 표 billete
- 갑니다 ir
- 전통적인 tradicional
- 보고 싶어요 quiero ver
- 몇 시? ¿A qué hora?
- 주세요 Por favor, déme...
- 방금 hace un momento
- 가장 el más
- 유명한 famoso
- 가 보세요 vaya a ver
- 꼭 seguramente
- 좋은 bueno(a)
- 도시 civdad
- 조금 un poco/poco
- 무궁화호 Mugunghwaho
- 새마을호 Saemaeulho
- 보다 ver
- 떠났어요 salió, fue
- 다음 siguiente
- 열차 tren
- 경주 Gyeongju
- 한국 Corea
- 늦다 llegortarde

Ejercicios léxicos

Principales estaciones de tren de Corea

서울역, 수원역, 대전역, 대구역, 동대구역, 부산역

Tipos de trenes

KTX(한국고속철도), 새마을호, 무궁화호

Para contar billetes : Número + 장 (unidad)

네 장, 다섯 장, 여덟 장, 열 장, 열두 장

Principales ciudades de Corea

서울, 부산, 인천, 대구, 광주, 대전, 울산, 제주, 춘천

Ciudades ubicadas cerca de Seúl

수원, 안양, 부천, 분당, 성남, 구리, 일산, 안산, 과천

Estructuras gramaticales y expresiones

1. '가세요?' está compuesta de '가(다)+시+어요'. '시' es un marcador honorífico y '어요' es la terminación de una oración de cortesía informal. Al combinar '시+어' se forma '셔' o '세' dando '가셔요?' o '가세요?' Tenga en cuenta '가세요/가셔요', ya que lo puede utilizar en una oración enunciativa con una entonación descendente como en el caso de '안녕히 가세요/가셔요'.

어디 가세요? : ¿A dónde va usted?

경주에 가세요?
gyeongjue gaseyo
¿Va a Gyeongju?

설악산에 가세요?
seoraksane gaseyo
¿Va al monte Seorak?

2. La postposición '～에' se añade al sustantivo de lugar o de tiempo para indicar una dirección. Es posible reemplazar '～에' con '～로' para indicar dirección.

경주에 갈 거예요.
gyeongjue gal geoyeyo
Voy a ir a Gyeongju.

경주로 갈 거예요.
gyeongjuro gal geoyeyo
Voy a ir a Gyeongju.

③ '~고 싶어요' está compuesto por el 'radical del verbo +고+싶(다)+어요', y significa 'desear, querero o anhelar hacer algo'. Esta forma se usa para primera persona singular o plural (yo o nosotros) que normalmente se surpime en coreano.'

보고 싶어요 : Quiero ver

경주를 보고 싶어요.
gyeongjureul bogo sipeoyo
quiero ver Gyeongju.

수미를 보고 싶어요.
sumireul bogo sipeoyo
quiero ver a Sumi.

④ '가장' es el marcador de una oración superlativa y significa el más, mientras que '더' es un marcador de una oración comparativa para expresar "más".

가장 유명해요 : ser el más famoso

불국사가 가장 유명해요.
bulguksaga gajang yumyeonghaeyo
Bulguksa es el más famoso.

불국사가 해인사보다 더 유명해요.
bulguksaga haeinsaboda deo yumyeonghaeyo
Bulguksa es más famoso que Haeinsa.

⑤ La expresión '좋은 ~이(가) 되세요' es un tipo de saludo de despedida que signifaca '¡Que tenga buen ...!'

좋은 여행 되세요. : ¡Que tenga buen viaje!

좋은 밤 되세요.
joeun bam doeseyo
¡Que tenga buena noche!

좋은 주말 되세요.
joeun jumal doeseyo
¡Que tenga buen fin de semana!

⑥ Para comprar billetes de tren, diga al personal de ventanilla, la hora de salida, el tipo de tren y el número de billetes. Al contar el número de billetes use la unidad '장' después del número. El verbo adecuado para pedir billete es '주세요 (dar)'.

Hora	Tipo de tren	Número de billetes
3시 30분	무궁화호 Mugunghwaho	한 장 han jang
4시	KTX	두 장 du jang
5시	새마을호 Saemaeulho	세 장 se jang

Ejercicios

1 Empleando la palabra que figura entre paréntesis, proporcione una respuesta a la pregunta del cuadro.

Ejemplo
Pregunta : 어디 가십니까?

(1) Respuesta : ______________ 갑니다. (강릉)

(2) Respuesta : ______________ 갑니다. (경주)

(3) Respuesta : ______________ 갑니다. (설악산)

(4) Respuesta : ______________ 갑니다. (지리산)

(5) Respuesta : ______________ 갑니다. (남해안)

2 Proporcione una forma adecuada de verbo para expresar el significado de la palabra que figura entre paréntesis.

(1) 판교로 ______________ . (voy)

(2) 안양에 ______________ . (iré)

(3) 용인에 ______________ . (iré)

(4) 광주로 ______________ . (quiero ir)

(5) 분당으로 ______________ . (voy)

3 Complete las siguientes frases, utilizando la información que figura entre paréntesis.

(1) 표 ______ 주세요. (5 billetes) (2) 표 ______ 주세요. (10 billetes)

(3) 표 ______ 주세요. (7 billetes) (4) 표 ______ 주세요. (11 billetes)

(5) 표 ______ 주세요. (14 billetes)

4 Complete las frases utilizando el ejemplo del cuadro.

Ejemplo
두 시 무궁화호 한 장 주세요.

(1) ______________________________ 주세요.

(2) ______________________________ 주세요.

(3) ________________________________ 주세요.

(4) ________________________________ 주세요.

(5) ________________________________ 주세요.

5 Complete las siguientes frases para comprar billetes de medios de transporte.

(1) 새마을호 ____________________ .

(2) KTX ____________________ .

(3) 고속버스 ____________________ .

(4) 무궁화호 침대칸 ____________________ .

Ejercicio de lectura

(1) 저는 모레 여행을 떠날 거예요.
Me voy de viaje pasado mañana.

(2) 설악산을 보고 싶어요.
Quiero ver el monte Seorak.

(3) 경주에 가고 싶어요.
Quiero ir a Gyeongju.

(4) 불국사가 가장 유명해요.
Bulguksa es más famoso.

(5) 새마을호 한 장 주세요.
Por favor, déme un billete de Saemaeulho.

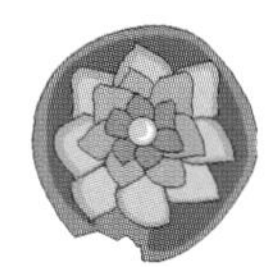  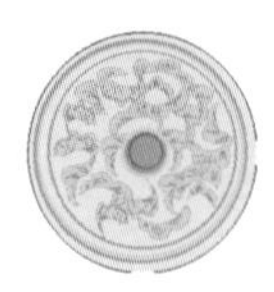 

제 13 과

Lección 13

방 구하기 Alquilar un piso

Frases principales

1. 자취방 있어요? ¿Tiene habitación para alquilar?
   jachwibang isseoyo
2. 계약서를 작성합시다. Vamos a hacer el contrato.
   gyeyakseoreul jakseonghapsida

Diálogos

Diálogo 1

존 : 자취방 있어요?
jachwibang isseoyo
¿Hay piso para alquiler?

주인: 이쪽으로 앉으세요. Por favor, tome asiento.
ijjogeuro anjeuseyo

존 : 얼마 정도 합니까?
eolma jeongdo hamnikka
¿Aproximadamente cuánto vale?

주인: 보증금 100만 원에 월 10만 원 정도예요.
bojeung-geum baekman wone wol sipman won jeongdoyeyo
Hay que pagar un depoósito de más o menos 1 millón de wones y 100.000 wones de alquiler mensual.

존 : 집 구경할 수 있어요?
jip gugyeonghal su isseoyo
¿Podría ver la casa?

주인: 예, 지금 같이 가 보시겠습니까?
ye jigeum gachi ga bosigetseumnikka
Sí. ¿Desea ir ahora para verla?

Diálogo 2

주인: 이 방입니다. Este es el piso.
i bang-imnida

존 : 방이 깨끗하고 좋군요. Es bueno y limpio.
bang-i kkaekkeutago jokunyo

이 방으로 하겠습니다.
i bang-euro hagetseumnida
Voy a tomar este piso.

주인: 사무실에서 계약서를 작성하도록 합시다.
samusileseo gyeyakseoreul jakseonghadorok hapsida
Vamos a hacer el contrato en la oficina.

주인: 여기에 이름과 주소와 여권 번호를 적어 주세요.
yeogie ireumgwa jusowa yeogwon beonhoreul jeogeo juseyo
Por favor, ponga su nombre, dirección y número de pasaporte.

그리고 계약 기간은 1년으로 하시겠어요?
geurigo gyeyak giganeun ilnyeoneuro hasigesseoyo
¿Y quiere que el plazo de contrato sea de 1 año?

존 : 예, 1년으로 하겠습니다.
ye ilnyeoneuro hagetseumnida
Sí. Quiero que sea por 1 año.

주인: 계약금을 지불하시겠어요?
Gyeyakgeumeul jibulhasigesseoyo
¿Va a realizar el pago inicial?

존 : 예, 여기 있습니다.
ye yeogi itseumnida
Sí. Aquí lo tiene.

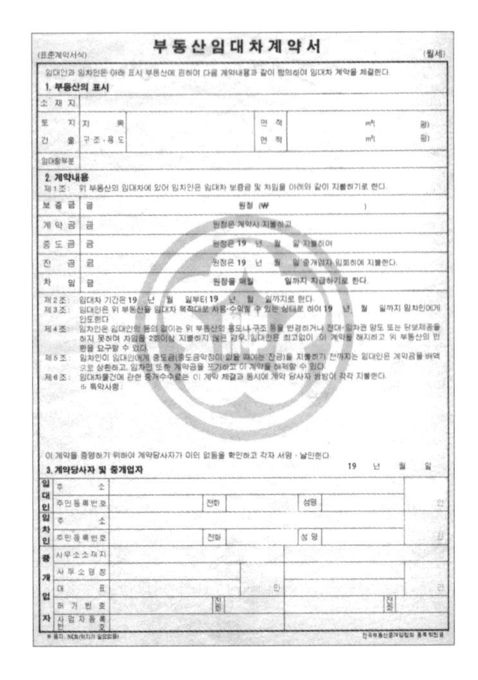

(표준계약서식) **부동산임대차계약서** (월세)

임대인과 임차인은 아래 표시 부동산에 관하여 다음 계약내용과 같이 합의하여 임대차 계약을 체결한다.

1. 부동산의 표시

소 재 지			
토 지	지 목	면 적	m²(평)
건 물	구조·용도	면 적	m²(평)
임대할부분			

2. 계약내용

제1조: 위 부동산의 임대차에 있어 임차인은 임대차 보증금 및 차임을 아래와 같이 지불하기로 한다.

보 증 금	금 원정 (₩)
계 약 금	금 원정은 계약시 지불하고
중 도 금	금 원정은 19 년 월 일 지불하며
잔 금	금 원정은 19 년 월 일 중개업자 입회하에 지불한다.
차 임	금 원정을 매월 일까지 지급하기로 한다.

제2조: 임대차 기간은 19 년 월 일부터 19 년 월 일까지로 한다.
제3조: 임대인은 위 부동산을 임대차 목적대로 사용·수익할 수 있는 상태로 하여 19 년 월 일까지 임차인에게 인도한다.
제4조: 임차인은 임대인의 동의 없이는 위 부동산의 용도나 구조 등을 변경하거나 전대·임차권 양도 또는 담보제공을 하지 못하며 차임을 2회이상 지불하지 않은 경우, 임대인은 최고없이 이 계약을 해지하고 위 부동산의 반환을 요구할 수 있다.
제5조: 임차인이 임대인에게 중도금(중도금약정이 없을 때에는 잔금)을 지불하기 전까지는 임대인은 계약금을 배액으로 상환하고, 임차인 또한 계약금을 포기하고 이 계약을 해제할 수 있다.
제6조: 임대차물건에 관한 중개수수료는 이 계약 체결과 동시에 계약 당사자 쌍방이 각각 지불한다.
※ 특약사항:

이 계약을 증명하기 위하여 계약당사자가 이의 없음을 확인하고 각자 서명·날인한다.

19 년 월 일

3. 계약당사자 및 중개업자

임대인	주 소				
	주민등록번호	전화		성명	인
임차인	주 소				
	주민등록번호	전화		성 명	인
중개업자	사무소소재지				
	사무소명칭				
	대 표	인			인
	허가번호	전화		전화	
	사업자등록번호				

※ 용지: NCR(먹지가 필요없음) 전국부동산중개업협회 등록필인용

Vocabulario y frases

- 부동산 bienes inmobiliarios
- 월 mensual
- 좋다 bueno
- 돈 dinero
- 같이 junto, con
- 1년으로 por un año
- 할 수 있어요? ¿Puedo....?
- 계약금 entrada
- 집 구경 ir a ver la casa
- 앉다 sentarse
- 지금 ahora
- 계약서 contrato
- 얼마 정도 aproximadamente cuánto
- 깨끗하다 ser limpio
- 작성하다 rellenar
- 정도 aproximadamente, más o menos
- 자취방 habitación (piso) para vivir solo
- 계약 기간 plazo de contrato
- 보증금 depósito
- 방 habitación
- 합시다 Vamos a...
- 사무실 oficina

Ejercicio léxico

Tipo de alquiler de piso en Corea

전세 jeonse alquiler de una casa con pago de entrada
월세 wolse alquiler mensual
자취 jachwi alquiler de habitación sin comida
하숙 hasuk pensión

Estructuras gramaticales y expresiones

1. Para preguntar el precio aproximado, el tamaño y la duración, utilice la expresión '얼마 정도 합니까?/됩니까?/입니까?' Esta expresión está compuesta de '얼마(cuanto) + 정도(más o menos, grado, aproximadamente) + 합니까?/됩니까?/입니까?(ser)'.

얼마 정도 합니까? / 얼마 정도 됩니까? / 얼마 정도입니까? :
¿Aproximadamente cuánto vale (es) ?

이 아파트는 얼마 정도 합니까?
i apateuneun eolma jeongdo hamnikka
¿Cuánto vale aproximadamente este piso?

방 크기는 얼마 정도 됩니까?
bang keugineun eolma jeongdo doemnikka
¿Cuán grande es la habitación?

계약 기간은 얼마 정도입니까?
gyeyak giganeun eolma jeongdoimnikka
¿Cuál es el plazo del contrato?

2 La expresión '~(으)ㄹ 수 있다' corresponde en español el verbo auxiliar "poder". Para que una oración interrogativa sea más cortés, agregue '~어요?' después de radical '~있'.

아파트를 구경할 수 있어요? : ¿Podría ir a ver el piso?

오늘 만날 수 있어요?
oneul mannal su isseoyo
¿Podría verte hoy?

김치를 먹을 수 있어요?
kimchireul meogeul su isseoyo
¿Podría comer Kimchi?

3 El marcador de tiempo futuro '~겠' se usa para indicar el tiempo futuro en las oraciones enunciativas e interrogativas.

이 방으로 하겠습니다. : Lo voy a tomar.

내일 다시 오겠습니다.
naeil dasi ogetseumnida
Vendré de nuevo mañana.

내일 거기 가겠습니다.
naeil geogi gagetseumnida
Iré allí mañana.

영화관에 같이 가시겠습니까?
yeonghwagwane gachi gasigetseumnikka
¿Va a ir al cine conmigo?

4 La expresión '~고' coordina dos adjetivos y significa "y".

깨끗하고 좋다. : limpio y bueno.

하늘이 파랗고 맑다.
haneuri parako makda
El cielo es azul y está limpio.

음식이 짜고 맵다.
eumsigi jjago maepda
La comida es salada y picante.

5 La expresión '~과/와' se emplea para coordinar sustantivos. Se utiliza '~과' después de un sustantivo que termina en consonante, mientras que '~와' se usa después de un sustantivo que termina en vocal.

이름과 주소와 여권 번호
: el nombre, la dirección y el número de pasaporte.

바나나와 사과와 오렌지 bananas, manzanas y naranjas
bananawa sagwawa orenji

음식과 음료수 la comida y la bebida
eumsikgwa eumryosu

⑥ La frase '~하도록/하기로 합시다' se emplea para proponer una idea y significa 'Vamos a ...' Para hablar en un estilo de cortesía formal, se utiliza el marcador de cortesía '~시' y la frase termina con '다', El estilo informal es '~하도록/하기로 하자'.

계약서를 작성하도록 합시다. : Vamos a hacer el contrato.

공부를 하도록 합시다.
gongbureul hadorok hapsida
Vamos a estudiar.

불고기를 먹도록 합시다.
bulgogireul meokdorok hapsida
Vamos a comer bulgogui

공부를 하도록 하자.
gongbureul hadorok haja
Vamos a estudiar.

불고기를 먹도록 하자.
bulgogireul meokdorok haja
Vamos a comer bulgogui.

Ejercicios

1 Cambie la forma de verbo siguiendo los ejemplos del cuadro.

Ejemplo
하다 → 할 수 있다 puedo hacer
먹다 → 먹을 수 있다 puedo comer

(1) 쓰다 → ________ puedo escribir
(2) 가져오다 → ______ puedo traer
(3) 가다 → ________ puedo ir
(4) 사다 → ______ puedo comprar

2 Practique contar dinero como muestra el ejemplo.

Ejemplo
1.000.000원 → 백만 원

(1) 2.500.000원 → ____________
(2) 3.000.000원 → ____________
(3) 450.000원 → ____________
(4) 150.000.000원 → ____________

3 Cambie la forma de verbo como muestra el ejemplo.

Ejemplo
가다 → 가겠어요 → 가겠습니다 → 가시겠어요?

(1) 오다 venir → ________ → ________ → ________ ?

(2) 잡다 agarrar → ________ → ________ → ________ ?

(3) 놀다 jugar → ________ → ________ → ________ ?

(4) 믿다 creer → ________ → ________ → ________ ?

(5) 하다 hacer → ________ → ________ → ________ ?

4 Coordine los siguientes sustantivos utilizando una conjunción adecuada.

(1) 이름, 주소, 여권 번호

(2) 가방, 열쇠, 수첩

(3) 컴퓨터, 디스켓, 프린트

(4) 갈비, 설렁탕, 냉면

(5) 한국 사람, 나이지리아 사람, 케냐 사람

5 Coordine los siguientes adjetivos utilizando una conjunción adecuada.

(1) 아름답다(hermoso), 깨끗하다(limpio)

(2) 고요하다(silencioso), 아늑하다(abrigado), 넓다(espacioso)

(3) 착하다(honesto), 정직하다(justo)

Ejercicio de lectura

(1) 자취방 있어요? ¿Tiene habitación para alquilar?

(2) 계약을 하시겠어요? ¿Quiere contratarlo?

(3) 계약 기간은 1년입니다. El plazo (término) del contrato es de 1 año.

(4) 사무실에서 계약서를 작성합시다.
Vamos a hacer el contrato en la oficina.

(5) 지금 방 구경을 할 수 있을까요?
¿Se puede ver el piso ahora?

제 14 과
Lección 14

은행에서 En un banco

Frases principales

1. 통장을 만들려고 하는데요. Quisiera abrir una cuenta bancaria.
   tongjang-eul mandeulryeogo haneundeyo
2. 돈을 찾으려고 하는데요. Quisiera retirar algo de dinero.
   doneul chajeuryeogo haneundeyo

Diálogos

Diálogo 1

존 : 통장을 만들려고 하는데요.
tongjang-eul mandeulryeogo haneundeyo
Quisiera abrir una cuenta bancaria.

은행원: 신청서를 작성해 주세요.
sincheongseoreul jakseonghae juseyo
Por favor, llene una hoja de solicitud.

존 : 여기에는 무엇을 씁니까?
yeogieneun mueoseul sseumnikka
¿Qué tengo que escribir aquí?

은행원: 여권 번호를 써 주세요.
yeogwon beonhoreul sseo juseyo
Por favor, escriba su número de pasaporte.

그리고 도장과 신분증을 주세요.
geurigo dojang-gwa sinbunjeung-eul juseyo
Y, por favor, déme su sello y documento de identidad.

존 : 다 썼는데 이제 어떻게 하지요?
da sseonneunde ije eotteoke hajiyo
Ya lo llené todo, y ahora ¿qué tengo que hacer?

은행원: 잠시만 기다려 주세요.
jamsiman gidaryeo juseyo
Por favor, espere un momento.

(잠시 후)(poco tiempo después)

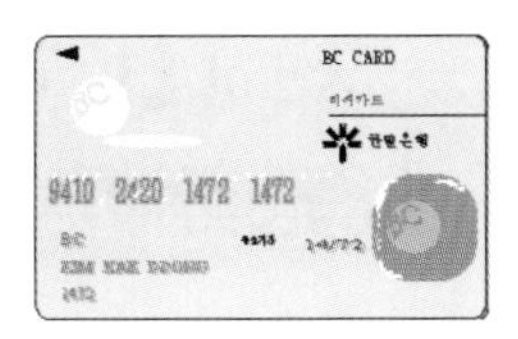

은행원: 여기 통장과 현금 카드가 있습니다.
yeogi tongjanggwa hyeongeum kadeuga itseumnida
Aquí tiene su libreta de ahorros y la tarjeta de débito.

존 : 감사합니다. gamsahamnida Gracias.

Diálogo 2

존 : 돈을 찾으려고 하는데요. Quisiera retirar un poco de dinero.
doneul chajeuryeogo haneundeyo

은행원: 통장과 지급 신청서를 작성해 주세요.
tongjang-gwa jigeub sincheongseoreul jakseonghae juseyo
Por favor, déme su libreta de ahorros y rellene una hoja de solicitud de retiro de fondo.

도장을 주시고, 비밀 번호를 적어 주세요.
dojang-eul jusigo bimil beonhoreul jeogeo juseyo
Por favor, déme su sello, y escriba su número secreto.

존 : 여기 있습니다. yeogi itseumnida Aquí lo tiene.

은행원: 여기 십만 원짜리 수표 한 장과 현금 3만 원입니다.
yeogi sipman won jjari supyo han janggwa hyeongeum samman wonimnida
Aquí tiene un cheque de 100.000 wones y 30.000 wones en efectivo.

확인해 보세요.
hwaginhae boseyo
Por favor, verifíquelo.

존 : 감사합니다.
gamsahamnida
Gracias.

찾으실 때　　　　입금하실 때

금　원 (₩　)	계좌번호	–　–
	성　명	☎

계좌번호		
대　체		
현　금		
지급회차지정시		수수료
위와 같이 지급하여 주십시오. (이 예금/신탁의 최종계산을 승인합니다.) 예금주 (수익자) (인) (서명)		실명확인 / 절차확인
		인감대조
비밀번호		

금　액			
대　체			
현　금			
타점권			
수표발행	1매당 발행금액	매수	금　액
	10만원권		
	만원권		
합　계			

입금요구서	계좌번호	
	성　명	
	금　액	

수수료 ______

평생은행

Vocabulario y frases

- 통장 libreta de ahorros
- 기다리다 esperar
- 수표 cheque
- 저금하다 depositar
- 쓰다 escribir
- 현금 카드 tarjeta
- 확인하다 confirmar
- 신청서 formulario de solicitud
- 지급 신청서 hoja de solicitud de retiro de fondo
- 도장 sello para reemplazar firma
- 비밀 번호 número secreto
- 여권 번호 número de pasaporte
- 만들다 hacer, abrir cuenta
- 돈 dinero
- 적다 escribir
- 만들려고 para abrir
- 그리고 y
- 찾다(인출하다) sacar
- 확인해 보다 intentar confirmar
- 모두 todo
- 인출 sacar
- 현금 efectivo
- 작성하다 rellenar
- 신분증 carnet de identidad

Estructuras gramaticales y expresiones

1. La conjunción '~(으)려고' expresa una intención del sujeto y se emplea antes del verbo '~하다 (hacer)'. La terminación de la conjunción '~(는)데요' es un conjuntivo que presenta el mismo signifacado de 'y', 'pero' o 'por cierto'. Esta terminación es usada para comenzar otra oración interrogativa o una petición o para pedir una respuesta a la pregunta que se tiene en mente.

통장을 만들려고 하는데요. : Quisiera abrir una cuenta bancaria.

한국어를 배우려고 하는데요.
hangugeoreul baeuryeogo haneundeyo
Quisiera estudiar el coreano.

도서관에서 책을 읽으려고 하는데요.
doseogwaneseo chaegeul ilgeuryeogo haneundeyo
Quisiera leer un libro en la biblioteca.

2. Es posible utilizar '~아/어 주세요' como un verbo principal o un verbo auxiliar. Cuando se usa como un verbo principal tiene el significado de 'dar'. Como verbo auxiliar apoya al verbo principal y significa 'Por favor, haga esto para mí'.

써 주세요. : Por favor, escriba (esto para mí).

여권 번호를 써 주세요.
yeogwon beonhoreul sseo juseyo
Por favor, escriba su número de pasaporte (para mí).

신청서를 작성해 주세요.
sincheongseoreul jakseonghae juseyo
Por favor, rellene la hoja de solicitud (para mí).

비밀 번호를 적어 주세요.
bimil beonhoreul jeogeo juseyo
Por favor, escriba el número secreto (para mí).

잠시만 기다려 주세요. Por favor, espere un momento (para mí).
jamsiman gidaryeo juseyo

③ El marcador auxiliar '~는' puede ser usado no sólo para el sujeto sino también para la frase que viene después del sustantivo que indica la posición.

> **여기에는 무엇을 씁니까?** : ¿Qué tengo que escribir aquí?

④ '~고' coordina dos claúsulas y se utiliza para expresar una simple coordinación de eventos o una orden secuencial de eventos.

> **도장을 주시고 비밀 번호를 적어 주세요.** :
> Por favor, déme su sello y escriba su número secreto.

신청서를 작성하고 사인해 주세요.
sincheongseoreul jakseonghago sainhae juseyo
Rellene una hoja de solicitud y fime aquí por favor.

통장은 여기 있고 현금 카드는 여기 있습니다.
tongjang-eun yeogi itgo hyeon-geumkadeuneun yeogi itseumnida
Aquí tiene su libreta de ahorros y su tarjeta de débito.

⑤ '~아/어 보세요' Se emplea como un verbo auxiliar para apoyar al verbo principal. Cuando se usa como verbo principal significa 'ver' o 'mirar', pero cuando se lo emplea como verbo auxiliar significa 'trate de hacer'.

> **확인해 보세요.** : trate de verificarlo.

찾아보세요. Trate de buscar (algo).
chajaboseyo

가 보세요. Trate de ir (allí).
ga boseyo

기다려 보세요. Trate de esperar.
gidaryeo boseyo

Ejercicios

1 Complete los diálogos de abajo, siguiendo los ejemplos. (1)~(3)

(1)

Ejemplo

여기에는 무엇을 씁니까? (여권 번호 número de pasaporte) → 여권 번호를 써 주세요.
¿Qué tengo que escribir aquí? → Por favor, escriba su número de pasaporte.

① 여기에는 무엇을 씁니까? (생년월일 fecha de nacimiento)
→ ______________________

② 여기에는 무엇을 씁니까? (이름 nombre)
→ ______________________

③ 여기에는 무엇을 씁니까? (비밀 번호 número secreto)
→ ______________________

④ 여기에는 무엇을 씁니까? (현주소 domicilio actual)
→ ______________________

(2)

Ejemplo

통장을 만들다 → 통장을 만들려고 하는데요.
abrir una cuenta bancaria Quisiera abrir una cuenta bancaria.

① 집에 가다 ir a la casa
→ ______________________

② 공원에서 놀다 jugar en el parque
→ ______________________

③ 오늘 식당에서 밥을 먹다 comer en un restaurante hoy
→ ______________________

④ 도서관에서 공부를 하다 estudiar en la biblioteca
→ ______________________

⑤ 방에서 책을 읽다 leer libros en la habitación
→ ______________________

(3)

Ejemplo

신청서를 작성하다	→	신청서를 작성해 주세요.
rellenar la hoja de solicitud		Por favor, rellene la hoja de solicitud (para mí).

① 여기에 쓰다 escribir aquí
→ ____________________

② 학교에 가다 ir a la escuela
→ ____________________

③ 공책을 찾다 buscar el cuaderno
→ ____________________

④ 책을 읽다 leer libros
→ ____________________

⑤ 창문을 열다 abrir la ventana
→ ____________________

2 Combine las siguientes claúsulas y forme una oración.

(1) 도장을 주세요. 비밀 번호를 적어 주세요.

(2) 수미는 학교에 갑니다. 헨리는 은행에 갑니다.

(3) 수미는 오렌지를 먹습니다. 헨리는 귤을 먹습니다.

3 Escriba en coreano la frase 'Espere un momento'.

Ejercicio de lectura

(1) 돈을 찾으려고 하는데요.
Quisiera retirar algo de dinero.

(2) 지급 청구서를 작성해 주세요.
Por favor, rellene la hoja de solicitud para retirar fondo.

(3) 비밀 번호, 도장, 주소, 여권이 필요합니다.
Necesito su número secreto, sello, dirección y pasaporte.

(4) 수표와 현금을 확인해 보세요.
Por favor, verifique el cheque y el efectivo.

(5) 신분증을 주세요.
Por favor, facilíteme su documento de identidad.

제 15 과
Lección 15

백화점에서 En el almacén

Frases principales

1. 운동화를 사려고 해요. Quisiera comprar zapatillas.
   undonghwareul saryeogo haeyo
2. 사이즈는 어떻게 되요? ¿Cúal es su calce?
   saijeuneun eotteoke doeyo

Diálogos

Diálogo 1

안내원: 무슨 매장을 찾으십니까?
museun maejang-eul chajeusimnikka
¿Qué está buscando usted?

존 : 운동화를 사려고 해요.
undonghwareul saryeogo haeyo
Quisiera comparar zapatillas.

안내원: 운동화는 6층에 있습니다.
undonghwaneun yukcheung-e itseumnida
Las zapatillas están en el sexto piso.

존 : 엘리베이터는 어디 있습니까?
ellibeiteoneun eodi itseumnikka
¿Dónde está el ascensor?

안내원: 엘리베이터는 저기에 있고, 에스컬레이터는 이쪽에 있습니다.
ellibeiteoneun jeogie itgo eskeolleiteoneun ijjoge itseumnida
El ascensor está allí y la escalera está aquí.

존 : 알겠습니다.
algetseumnida
Vale.

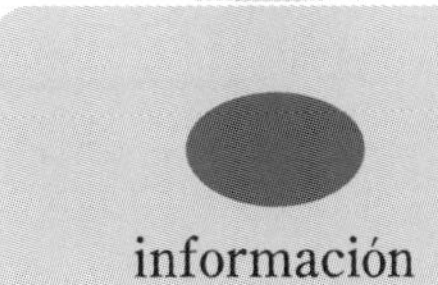

Diálogo 2 존 : 운동화를 사려고 해요.
undonghwareul saryeogo haeyo
Quisiera comprar un par de zapatillas.

점원: 색깔은 파란색, 검은색, 흰색이 있어요.
saekkkareun paransaek geomeunsaek huinsaegi isseoyo
Los colores son azul, negro y blanco.

상표는 나이키, 프로스펙스, 아디다스가 있어요.
sangpyoneun naiki peurospekseu adidaseuga isseoyo
Las marcas son Nike, Prospecs y Adidas.

일반 상표도 저쪽에 있어요.
ilbansangpyodo jeojjoge isseoyo
Las marcas comunes están allí.

존 : 흰색 나이키가 마음에 들어요.
huinsaek naikiga maeume deureoyo
Me gustan los Nikes de color blanco.

그러나 일반 상표도 싸고 좋군요.
geureona ilbansangpyodo ssago jokunyo
Pero las de marcas comunes también son baratas y buenas.

점원: 발 사이즈가 얼마입니까?
bal saijeuga eolmaimnikka
¿Cuál es su calce?

존 : 265mm예요.
ibaek-yuksibo mirimiteoyeyo
Es 265 mm.

점원: 한번 신어 보세요.
hanbeon sineo boseyo
Por favor, pruébe se las.

Vocabulario y frases

- 찾다 buscar
- 엘리베이터 ascensor
- 에스컬레이터 escalera
- 일반상표 marca general
- 저기에 allí
- 검은색 negro
- 백화점 grandes almacenes
- 안내원 personal de información
- 운동화 zapatillas
- 파란색 azul
- 흰색 blanco
- 마음에 en mente
- 발 pie
- 상표 marca
- 신다 ponerse (los calzados)
- 사려고 해요 quiero comprar
- 사이즈 calce
- ~도 también
- 한번 una vez
- 사다 comprar
- 6층 sexto piso
- 색깔 color

Ejercicio léxico

(Para los sustantivos que indican colores, ver la página 6)

Estructuras gramaticales y expresiones

① La conjunción '~(으)려고' expresa una intención del sujeto. Se utiliza después del verbo '~하다', que indica previamente un objeto (sustantivo).

운동화를 사려고 해요. : Quisiera comprar un par de zapatillas.

운동화를 사려고 해요. undonghwareul saryeogo haeyo	Quisiera comprar un par de zapatillas.
백화점에 가려고 해요. baekhwajeome garyeogo haeyo	Quisiera ir a unos grandes almacenes.

② El verbo '신어' deriva del infinitivo '신다'. '~어' es una conjunción que conecta un verbo con el siguiente verbo produciendo '신어 보세요'. Aquí se emplea el verbo '보세요' como un verbo auxiliar para apoyar al verbo principal. Pero cuando se emplea el verbo '보세요' como un verbo principal, significa 'ver', pero cuando se usa como verbo auxialiar significa "probar".

신어 보세요. : Pruébese los.

한번 입어 보세요.
hanbeon ibeo boseyo
Prúebeselo una vez.

한번 먹어 보세요.
hanbeon meogeo boseyo
Pruébesela una vez.

③ En una oración puede coexistir el tópico y el sujeto como en el caso de '색깔은 흰색이 있어요'. Y se pueden conectar varios sustantivos para formar un sujeto como en el caso de '파란색, 검은색, 흰색이 있어요'. Fíjese que en coreano 'y' es opcional para la coordinación de sustantivos: '파란색, 검은색, (그리고) 흰색이 있어요'.

> **색깔은 파란색, 검은색, 흰색이 있어요.**
> : Los colores son azul, negro y blanco.

동물은 호랑이, 원숭이, 곰이 있어요.
dongmureun horang-i wonsung-i gomi isseoyo
Los animales que hay son tigres, monos y osos.

신발은 운동화, 구두, 샌들이 있어요.
sinbareun undonghwa gudu saendeuri isseoyo
Los calzados que hay son zapatillas, zapatos de vestir, y sandalias.

④ '~도' sustituye el marcador tópico o marcador de sujeto y significa 'además' o 'también'.

> **일반 상표도 있어요.** : También hay marcas comunes.

빨간색도 있어요.
ppalgansaekdo isseoyo
También hay color rojo.

연필도 있어요.
yeonpildo isseoyo
También hay lápices

⑤ La oración de cortesía con terminación '~군요' expresa el nuevo conocimiento adquirido por el hablante sobre un hecho o un evento. Y '~고' coordina los predicativos '싸다' y '좋다'.

> **일반 상표도 싸고 좋군요.**
> : las marcas comunes también son baratas y buenas.

나이키도 튼튼하고 좋군요.
naikido teunteunhago jokunyo
El Nike es también muy resistente y bueno.

흰색도 깨끗하고 예쁘군요.
huinsaekdo kkaekkeutago yeppeugunyo
El blanco es también limpio y bonito.

1 Complete los diálogos siguiendo el ejemplo. (1)~(3)

(1)

Ejemplo

어느 매장을 찾으세요? (와이셔츠를 사다 comprar una camisa)
¿Qué sección está buscando usted?
→ 와이셔츠를 사려고 해요. Quisiera comprar una camisa.

① 어디를 찾으세요? (구두를 사다 comprar zapatos de vestir)
→ ______________________________

② 어디를 찾으세요? (양복을 사다 comprar un traje)
→ ______________________________

③ 어디를 찾으세요? (색동이불을 사다 comprar una colcha de colores)
→ ______________________________

④ 어디를 찾으세요? (가전제품을 사다 comprar aparatos electrodomésticos)
→ ______________________________

(2)

Ejemplo

식료품 매장은 어디입니까? (지하 1층 primer piso del subsuelo)
¿Dónde es la sección de alimentos?
→ 식료품 매장은 지하 1층입니다.
La sección de alimentos está en el primer piso del subsuelo.

① 의류 매장(ropa)은 어디입니까? (5층)
→ ______________________________

② 신사복 매장(ropa de caballeros)은 어디입니까? (3층)
→ ______________________________

③ 전자제품 매장(aparatos electrónicos)은 어디입니까? (7층)
→ ______________________________

(3)

Ejemplo

얼마예요? (14,500원) ¿Cuánto vale?
→ 만 사천오백 원입니다. Es 14.500 wones.

(1) 이 공책(cuaderno)은 얼마예요? (430원)
→ ______________________________

(2) 이 주스(jugo)는 얼마예요? (3.200원)

→ ______________________

(3) 그 과자(bocadillo)는 얼마예요? (2.800원)

→ ______________________

2 Combine las siguientes dos oraciones.

(1) 엘리베이터는 저기에 있습니다.
El ascensor está allí.
에스컬레이터는 이쪽에 있습니다.
La escalera mecánica está aquí.

(2) 운동화는 6층에 있어요.
Las zapatillas están en el 6to piso.
옷은 4층에 있어요.
Las ropas están en el 4to piso.

(3) 프로스펙스는 이쪽에 있어요.
Los Prospecs están aquí.
일반 상표는 저쪽에 있어요.
Las de marcas comunes están allí.

3 Cambie las siguientes oraciones utilizando '~도'.

(1) 일반 상표가 싸고 좋아요. Las de marcas comunes son baratas y buenas.

→ ______________________

(2) 검은색이 좋아요. Me gusta el color negro.

→ ______________________

(3) 사과가 좋아요. Las manzanas son buenas.

→ ______________________

(4) 바지가 좋아요. Me gustas los pantalones.

→ ______________________

(5) 한국어가 좋아요. Me gusta el coreano.

→ ______________________

Ejercicio de lectura

(1) 셔츠를 사려고 해요. Quisiera comprar una camisa.

(2) 운동화는 4층에 있어요. Las zapatillas están en el cuerto piso.

(3) 목 사이즈가 얼마입니까? ¿Cúanto mide el cuello?

(4) 검정색 프로스펙스 운동화가 마음에 들어요.
Me gustas las zapatillas negras de Prospecs.

(5) 한번 신어 보세요. Por favor, prúebeselas.

제 16 과

Lección 16

편지 쓰기 Escribir una carta

Frases principales

1. 어떻게 지내셨습니까? ¿Cómo ha estado usted?
   eotteoke jinaesyeotseumnikka
2. 연락을 기다리겠습니다. Estaré esperando su respuesta.
   yeollageul gidarigetseumnida

알 림
Notificación

사무엘 로이그 씨에게 (Estimado Sr. Samuel Roig:)
samuel roigeu ssiege

안녕하세요? 어떻게 지내셨습니까? 태평양 대학교 한국어반 졸업생과 재학생의 친목 모임이 있습니다. 부디 오셔서 동문들과 의미 있는 시간을 가지시기 바랍니다.
annyeonghaseyo eotteoke jinaesyeotseumnikka taepyeongyang daehakgyo hankugeoban joreopsaenggwa jaehaksaeng-ui chinmok moimi itseumnida budi osyeoseo dongmundeulgwa uimiinneun siganeul gajisigi baramnida
(¡Hola! ¿Cómo ha estado usted? Vamos a celebrar una reunión entre los graduados y los estudiantes del Departamento de Coreano de la Universidad Taepyongyang. Por favor, asista a esta reunión y disfrute de una buena oportunidad con nosotros.)

일 시 : 5월 5일 (Fecha)
장 소 : 종로 2가 미리내 레스토랑 (Lugar)
시 간 : 12:00 PM (Hora)
준비물 : 식사비 (Requisito : dinero para almuerzo)

만나 뵙기를 바랍니다. 안녕히 계십시오.
manna boepgireul baramnida annyeonghi gyesipsio
(Espero poder encontrarme con usted en la reunión.)

2004년 4월 20일(20 de abril de 2004)
존 알렌 올림(John Allen)
한국어반 동문회장(Presidente de la Asociación de Graduados)

초 대 장
Invitación

유미 씨에게 (Querida Yumi)
yumi ssiege

어떻게 지내셨어요?
이번 3월 17일에 존의 생일 파티가 있습니다. 하지만 존에게는 비밀이에요. 깜짝파티를 해 주고 싶거든요. 시간이 나면 저의 집으로 5시까지 오세요. 낸시와 가드윈 그리고 차오민도 올 것입니다. 존에게는 7시에 잠시 들르라고 부탁했어요.

eotteoke jinaesyeosseoyo
ibeon samwol sipchilile jonui saeng-il patiga itseumnida hajiman jonegeneun bimirieyo kkamjjak patireul haejugo sipgeodeunyo sigani namyeon jeoui jibeuro daseotsikkaji oseyo naensiwa gadeuwin geurigo chaomindo ol geosimnida jonegeneun ilgopsie jamsi deulreurago butakhaesseoyo

¿Cómo has estado?
Vamos a celebrar la fiesta de cumpleaños de Joan el 17 de marzo. Pero él no lo sabe, es un secreto. Queremos organizar una fiesta sorpresa. Si estás libre ese día, por favor, ven a mi casa hasta las 5 de la tarde. Vendrán Nancy, Godwin y Chaomin también. He pedido a Juan que pasara por mi casa a las 7 de la tarde.

회답을 기다릴게요. Espero tu respuesta.
hoedabeul gidarilgeyo
안녕히 계세요. Adiós.
annyeonghi geseyo

2004년 3월 5일(5 de Marzo de 2004)
브라이언 드림(Brian)

Vocabulario y frases

- 알림 aviso
- 졸업생 graduado
- 가지다 tener, gastar
- 깜짝파티 fiesta sorpresa
- 오세요 por favor, venga
- 한국어반 clase de coreano
- 바라다 esperar
- 초대장 carta de invitación
- 비밀 secreto
- 올 것이다 vendrá
- ~고 싶다 desear...
- 생일파티 fiesta de cumpleaños
- 시간이 나다 estar libre
- 모임 reunión
- 그 동안 mientras
- 친목 hacer amigos
- 준비물 preparación
- 잘 bien
- 기다리다 esperar
- 재학생 estudiante matriculado
- 장소 lugar
- 연락 respuesta
- 부탁하다 pedir
- 들르다 visitar
- 잠시 durante unos minutoes
- 해 주다 servir/dar
- 동문회 asociación de graduados
- 지내다 pasar
- 부디 por favor
- 집 casa
- 오다 venir
- ~씨에게 Querido...
- 이번 esta vez
- 그날 ese día
- 하지만 pero
- ~까지 hasta
- 의미있는 significativo
- 동문 graduados

Ejercicio léxico

그저께	anteayer
어제	ayer
오늘	hoy

Estructuras gramaticales y expresiones

① Escriba el nombre del receptor y agregue '~씨/~님에게' antes de comenzar el texto de la carta. Es posible reemplazar '~에게' con '~께', que es su forma más cortés. Si el receptor fuera un niño, agregue '~에게'.

사무엘 로이그 씨에게	Estimado Samuel Roig :
김유리 씨께	Estimada 유리 김 :
이선미 선생님께	Estimada profesora 선미 이 :
지미에게	Querido 지미(niño) :

② Comience la carta con saludos como muestra el cuadro.

> **안녕하세요? 어떻게 지내셨습니까?**
> : ¡Hola! ¿Cómo ha estado?

③ Y termine la carta con las siguientes oraciones del ejemplo.

> **회답을 기다릴게요. 안녕히 계십시오. / 안녕히 계세요.**
> : Esperaré su respuesta. Adiós.
> **만나 뵙기를 바랍니다. 안녕히 계십시오.**
> : Quisiera encontrarme con usted. Adiós.

④ A diferencia de la carta escrita en español, se debe escribir la fecha al final de la carta con su firma. Después de poner la firma, se debe añadir '드림' o '올림'. '올림', que se usa cuando se escribe a una persona mayor o de una jerarquía social más alta. '드림' se emplea con una persona de mayor intimidad o más cercana. Para escribir una carta a sus amigos o a una persona más joven, no es necesario respetar estas reglas. En tal caso, se puede usar opcionalmente '씀'.

2005년 1월 28일 존 알렌 올림	2005년 2월 3일 사무엘 로이그 드림	2005년 3월 2일 김유리 씀

서울특별시 은평구 대조동 1번지
태평양 대학교 한국어반
이영주 올림
122-837

Sello

경기도 안양시 만안구 박달 2동
사무엘 로이그 귀하
430-032

Ejercicios

1 Antes de poner el saludo, qué se debería poner en la carta? Proporcione una respuesta adecuada empleando los siguientes nombres.

(1) 이수미 → ________

(2) 존 알렌 → ________

(3) 김유리 → ________

(4) 이영주 선생님 → ________

(5) 박지미(niño) → ________

2 Escriba los saludos que se ponen al comienzo de una carta.

→ ____

3 Escriba los saludos que se ponen al final de una carta.

→ ____

4 Escriba la fecha y nombre de acuerdo con las formalidades de una carta, utilizando los siguientes datos y nombres.

(1) 2005년 1월 5일, 김영자 (Ella está escribiendo una carta a sus padres)

(2) 2005년 2월 21일, 이인수 (Él está escribiendo una carta a su profesor.)

(3) 2005년 3월 13일, 박혜진 (Ella está escribiendo una carta a sus amigos)

5 Escriba una carta a los estudiantes de la clase de lengua coreana para informar les que van a ir de excursión a Everland. Imagine que ellos van a encontrarse a las 11 de la mañana del día 5 de mayo frente a la entrada. Siga cuidadosamente el formato de una carta.

6 Escriba una carta informal a un amigo en coreano.

7 Utilizando las direcciones del remitente y receptor, escriba el sobre de acuerdo con el formato adecuado de una carta. La jerarquía social del receptor es más alta que la del remitente.

Remitente Nombre y apellido : 김은희
Dirección : 서울특별시 광진구 자양동 211번지 은마아파트 201동 502호
Código postal : 148-204
Receptor Nombre y apellido : 박진우
Dirección : 대구광역시 남구 대명동 123번지
Código postal : 192-143

Ejercicio de lectura

(1) 어떻게 지내셨습니까?
¿Cómo ha estado usted?

(2) 다섯 시까지 오세요.
Por favor, venga hasta la cinco de la tarde.

(3) 6월 21일에 혜영이의 결혼식이 있습니다.
Se celebrará la boda de Hyeyeong el 21 de junio.

(4) 연락을 기다리겠습니다.
Estaré esperando su constestación.

(5) 만날 수 있기를 바랍니다.
Espero poder encontrarme con usted.

제 17 과
Lección 17

어디가 아프십니까? ¿Qué le duele?

Frases principales

1. 등이 아파서 움직일 수가 없습니다.
   No me puedo mover debido al dolor de espalda.
   deung-i apaseo umjigil suga eopsseumnida

2. 금방 나아지겠습니까? ¿Se mejorará enseguida?
   geumbang naajigetseumnikka

Diálogos

Diálogo 1

119대원: 119 구조대입니다. Es el centro de emergencias 911
il-il-gu gujodaeimnida

푸 휘: 계단에서 넘어졌는데 움직일 수가 없습니다.
gyedaneseo neomeojyeotneunde umjigil suga eopseumnida
Me caí en la escalera y no puedo moverme.

도와 주세요. Ayúdeme.
dowajuseyo

119대원: 주소와 전화 번호를 천천히 말씀해 주십시오.
jusowa jeonhwa beonhoreul cheoncheonhi malsseumhae jusipsio
Por favor, dígame lentamente su dirección y número de teléfono.

푸 휘: 주소는 강남구 신사동 11번지이고,
jusoneun gangnam-gu sinsa-dong sibilbeonjiigo
La dirección es Sinsa-dong 11, Gangnam-gu,

전화 번호는 511-2936입니다.
jeonhwa beonhoneun o-il-il-i-gu-sam-yukimnida
y el número de teléfono es 511-2936.

119대원: 예, 알겠습니다. 곧 가겠습니다.
ye algetseumnida got gagetseumnida
Sí, perfecto. Estaremos enseguida allí.

Diálogo 2 (병원에서) (En el hospital)
byeongwoneseo

의 사: 어디가 아프십니까? ¿Qué le duele?
eodiga apeusimnikka

푸 휘: 등이 아파서 움직일 수가 없습니다.
deungi apaseo umjigil suga eopsseumnida
No puedo moverme debido al dolor de espalda.

의 사: 찜질약을 매일 등에 붙이십시오.
jjimjilyageul maeil deunge buchisipsio
Aplique todos los días este parche medicinal en su espalda.
진통제는 식사 후에 드세요.
jintongjeneun siksa hue deuseyo
Tome el analgésico después de la comida.

푸 휘: 금방 나아지겠습니까? ¿Se mejorará enseguida?
geumbang naajigetseumnikka

의 사: 3, 4일이면 나아질 거라고 생각합니다.
sam, sailimyeon naajil georago saeng-gakhamnida
Creo que en tres o cuatros días se mejorará.
하지만, 심한 운동은 하지 마십시오.
hajiman, simhan undong-eun haji masipsio
Pero no haga ningún ejercicio fuerte.

푸 휘: 예, 감사합니다. De acuerdo. Gracias.
ye, gamsahamnida

Vocabulario y frases

- 붙이다 aplicar/pegar
- 식사 후 después de la comida
- 마십시오 deje de ...
- 주소 dirección
- ~ 후 despúes
- 가겠습니다 iré
- 계단 escalera
- 금방(곧) enseguida
- 말씀해 주세요 por favor, diga
- 천천히 despacio
- 생각하다 pensar
- 나아지다 mejorarse
- 3,4일이면 en 3 o 4 días
- 말(말씀)하다 decir
- 드세요 coma/tome
- 아프다 enfermarse
- 움직이다 moverse
- 운동 ejercicio/deporte
- ~수 없다 no puedo
- 넘어지다 caerse
- 어디 dónde
- 진찰 diagnóstico
- 등 espalda
- 매일 todo el día
- 하지만 pero
- 하다 hacer
- 돕다 ayudar
- 심한 excesivo/extremo
- 찜질약 parche medicinal
- 119구조대 centro de emergencias 119
- 전화 번호 número de teléfono
- 나아질 거라고 puede mejorars
- 진통제 analgésico
- 도와 주세요 por favor, ayúdeme

Ejercicio léxico

Síntomas de enfermedades

목이 아프다 mogi apeuda
dolor de garganta

머리가 아프다 meoriga apeuda
dolor de cabeza, cefalalgia

열이 있다 yeori itda
fiebre

이가 아프다 iga apeuda
dolor de diente

피부가 가렵다 pibuga garyeopda
picazón

콧물이 나다 konmuri nada
moquear

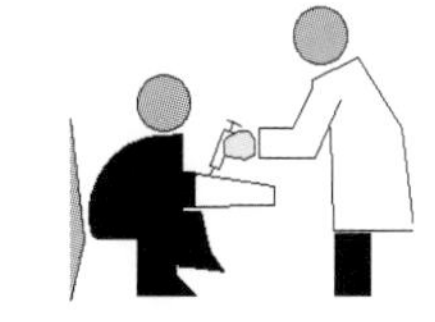

주사를 놓다 jusareul nota
dar inyección

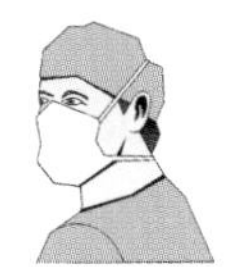

수술하다 susulhada
operar

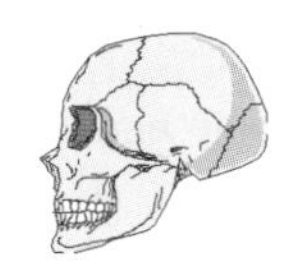

엑스레이를 찍다 eks-reireul jjikda
sacar radiografía

Estructuras gramaticales y expresiones

1. '~서' es una conjunción que expresa la causa del primer verbo. '~수(가) 없습니다' significa 'no poder hacer'.

> **등이 아파서 움직일 수가 없습니다.**
> : No puedo moverme debido al dolor de espalda.

머리가 아파서 걸어갈 수가 없습니다.
meoriga apaseo georeogal suga eopsseumnida
No puedo caminar por el dolor de cabeza.

목이 아파서 밥을 먹을 수가 없습니다.
mogi apaseo babeul meogeul suga eopsseumnida
No puedo comer por el dolor de garganta.

콧물이 나서 공부할 수가 없습니다.
konmuri naseo gongbuhal suga eopsseumnida
No puedo estudiar por el moqueo.

늦게 자서 일어날 수가 없습니다.
neutge jaseo ireonal suga eopsseumnida
No puedo levantarme ya que me acosté tarde.

② La oración '~(으)ㄹ거라고 생각합니다' se emplea para expresar la suposición o idea del hablante.

> **3, 4일이면 나아질 거라고 생각합니다.**
> : Creo que en 3 o 4 días se mejorará.

그는 한국어를 공부할 거라고 생각합니다.
geuneun hangugeoreul gongbuhal georago saenggakhamnida
Creo que él estudiará coreano.

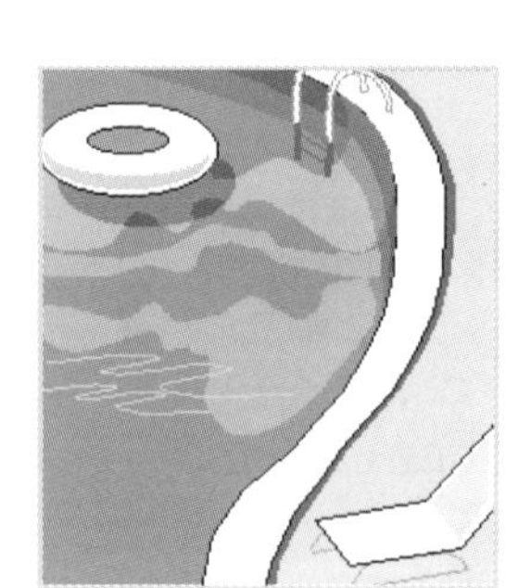

그는 내일 결석할 거라고 생각합니다.
geuneun naeil gyeolseokhal georago saenggakhamnida
Creo que él no vendrá mañana.

그는 이번 주까지 올 거라고 생각합니다.
geuneun ibeon jukkaji ol georago saenggakhamnida
Creo que él volverá esta semana.

그는 수영장에서 수영할 거라고 생각합니다.
geuneun suyeongjang-eseo suyeonghal georago saenggakhamnida
Creo que él estaría nadando en la piscina.

그는 곧 나아질 거라고 생각합니다.
geuneun got naajil georago saenggakhamnida
Creo que él se mejorará enseguida.

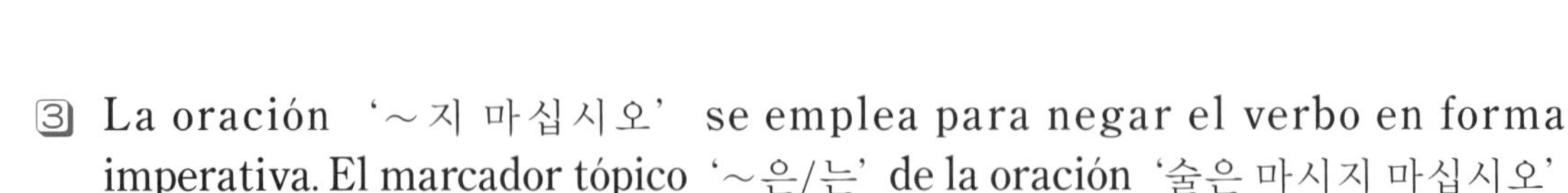

③ La oración '~지 마십시오' se emplea para negar el verbo en forma imperativa. El marcador tópico '~은/는' de la oración '술은 마시지 마십시오' puede ser sustituido con el marcador de objeto '~을/를'.

> **심한 운동은 하지 마십시오.**
> : No haga ningún ejercicio fuerte.

술은 마시지 마십시오.
sureun masiji masipsio
Por favor, no beba bebida alcohólica.

결석은 하지 마십시오.
gyeolseogeun haji masipsio
Por favor, no falte a clase.

담배는 피우지 마십시오.
dambaeneun piuji masipsio
Por favor, no fume.

④ '∼고(y)' se emplea en los siguientes casos para dos o más oraciones simples.

저는 나이지리아 사람이고, 친구는 한국 사람입니다.
jeoneun naijiria saramigo chin-guneun hanguk saramimnida
Soy nigeriano y mi amigo es coreano.

저는 도서관에 가고, 친구는 식당에 갑니다.
jeoneun doseogwane gago chin-guneun sikdang-e gamnida
Voy a la biblioteca y mi amigo va al restaurante.

⑤ El marcador de tiempo futuro '∼겠' se usa para el tiempo futuro.

금방 나아지겠습니까?
geumbang naajigetseumnikka
¿Se mejorará en seguida?

내일 전화하겠습니다.
naeil jeonhwahagetseumnida
Llamaré mañana.

⑥ La conjunción '∼는데' marca dos cláusula conectadas de tal manera que la acción realizada en la primera oración todavía continúa en la segunda oración.

넘어졌는데 움직일 수가 없습니다.
neomeojyeonneunde umjigil suga eopsseumnida
Me caí y no puedo moverme.

공부하는데 조용히 하십시오.
gongbuhaneunde joyonghi hasipsio
Por favor, cállense ya que estoy estudiando.

Ejercicios

1 Cambie las oraciones como en los ejemplos.

(1)

Ejemplo
허리가 아프다. → 허리가 아파서 공부할 수가 없습니다.

① 열이 있다. → ____________________

② 목이 아프다. → ________________

③ 기침이 나다. → ________________

④ 콧물이 나다. → ________________

⑤ 머리가 아프다. → ________________

(2)

Ejemplo
움직이다. → 움직일 수가 없습니다.

① 밥을 먹다. → __________ ② 잠을 자다. → __________

③ 운동을 하다. → __________ ④ 일찍 일어나다. → __________

⑤ 술을 마시다. → __________

2 Proporcione una respuesta adecuada a cada una de las siguientes preguntas y comente sobre ellas.

(1) 금방 나아지겠습니까? ¿Se mejorará enseguida?

(2) 언제, 왜 갔었습니까? ¿Cúando y por qué fue allí usted?

(3) 어디가 아팠습니까? ¿Qué le dolió?

(4) 의사 선생님은 무슨 말씀을 하셨습니까? ¿Qué dijo el doctor?

Ejercicio de lectura

(1) 계단에서 넘어져 119 구조대에 전화를 걸었습니다.
Llamé al centro de emergencias 911 porque me caí en la escalera.

(2) 주소와 전화 번호를 말씀해 주세요.
Por favor, dígame la dirección y el número de teléfono.

(3) 다리가 아파서 움직일 수가 없습니다.
No puedo moverme por el dolor de pierna.

(4) 의사가 진통제를 주었습니다.
El doctor me recetó algo de analgésico.

(5) 3, 4일이면 나아질 거라고 했습니다.
El doctor me dijo que estaré mejor en 3 o 4 días.

제 18 과
Lección 18

무슨 운동을 좋아하십니까?
¿Qué deporte le gusta?

Frases principales

1. 테니스는 좋아하지 않지만, 수영은 좋아합니다.
   tenisneun joahaji anchiman suyeong-eun joahamnida
   No me gusta el tenis, pero me gusta la natación.
2. 무슨 음료수를 좋아하십니까? ¿Qué bebida le gusta?
   museun eumryosureul joahasimnikka

Diálogos

Diálogo 1

푸휘: 어제는 무엇을 하셨습니까?
eojeneun mueoseul hasyeotseumnikka
¿Qué hizo usted ayer?

영주: 운동과 쇼핑을 했습니다.
undonggwa syoping-eul haetseumnida
Hice un poco de gimnasia y fui de compras.

푸휘: 무슨 운동을 좋아하십니까?
museun undong-eul joahasimnikka
¿Qué deporte le gusta?

영주: 테니스를 좋아합니다. Me gusta el tenis.
teniseureul joahamnida

푸휘 씨는 어떻습니까? Puhui, ¿y a usted?
puhwi ssineun eotteoseumnikka

푸휘: 저는 테니스는 좋아하지 않지만, 수영은 좋아합니다.
jeoneun tenisneun joahaji anchiman suyeong-eun joahamnida
No me gusta el tenis, pero me gusta la natación.

영주: 저도 수영을 좋아하니까, 이번 주말에 수영하러 같이 가지 않겠습니까?
jeodo suyeong-eul joahanikka ibeon jumale suyeonghareo gachi gaji anketseumnikka
A mí también me gusta nadar. ¿No quiere ir a nadar conmigo este fin de semana?

푸휘: 예, 좋습니다. Sí, me gustaría.
ye jossumnida

Diálogo 2 (수영장에서) (En la piscina)
suyeongjang-eseo

영주: 푸휘 씨는 정말로 수영을 잘 하시는군요.
puhwi ssineun jeongmallo suyeong-eul jal hasineun-gunyo
Puhui, usted nada muy bien.

이제 음료수를 마시러 가지 않겠습니까?
ije eumryosureul masireo gaji anketseumnikka
¿No quiere ir a tomar algo?

푸휘: 그렇게 합시다. Vamos.
geureoke hapsida

무슨 음료를 좋아합니까? ¿Qué bebida le gusta?
museun eumryoreul joahamnikka

영주: 오렌지 주스, 사이다, 콜라는 좋아합니다만, 커피는 좋아하지 않습니다.
orenji jus saida kollaneun joahamnidaman keopineun joahaji ansseumnida
Me gusta el jugo de naranja, spritey coca, pero no me gusta el café.

푸휘: 저도 커피는 싫어합니다. A mí tampoco me gusta el café.
jeodo keopineun sireohamnida

영주: 저기에 자판기가 있습니다.
jeogie japangiga itseumnida
Allí está el expendedor automático.

Vocabulario y frases

- 어제 ayer
- 무슨 qué
- 테니스 tenis
- 저 Yo
- 정말로 de verdad
- 음료수 bebidad
- 사이다 sprite
- 저기에 allí
- 좋습니다 me gusta
- 있다 hay
- 수영하러 a nadar
- 싫어하다 desagradar
- 쇼핑 compras
- 좋아하다 gustar
- 않다 no
- 이번에 esta vez
- 잘 bien
- 마시다 beber
- 콜라 coca
- 커피 café
- 무엇을 qué
- 좋아하지 않지만 no me gusta, pero...
- 마실 것 algo para beber
- 가지 않겠습니까? ¿No quiere ir?
- 어떻습니까? ¿Qué le parece...?
- 수영 natación
- 주말 fin de semana
- 같이 junto
- 이제 ahora
- 그렇게 así
- 오렌지 주스 jugo/zumo de naranja
- 좋아합니다만 me gusta, pero...
- 자판기 vendedor automática

Ejercicio léxico

Deportes

농구를 하다
nong-gureul hada
jugar al baloncesto

축구를 하다
chuk-gureul hada
jugar al fútbol

야구를 하다
yagureul hada
jugar al béisbol

테니스를 치다
teniseureul chida
jugar al tenis

골프를 치다
golpeureul chida
jugar al golf

스키를 타다
skireul tada
esquiar

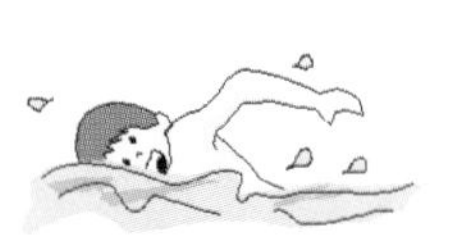

수영을 하다
suyeong-eul hada
nadar

태권도를 하다
taegwondoreul hada
practicar Taegwondo

Estructuras gramaticales y expresiones

1 Para preguntar qué tipo de cosa le gusta a alguien, emplee la palabra '무슨'. Fjése que '무슨' es un adjetivo, mientras que '무엇' es un sustantivo, según la categoría funcional.

무슨 운동을 좋아하십니까?	무엇을 좋아하십니까?
¿Qué deporte le gusta?	¿Qué le gusta usted?

무슨 요리를 좋아하십니까?
museun yorireul joahasimnikka
¿Qué tipo de comida le gusta?

무슨 음악을 좋아하십니까?
museun eumageul joahasimnikka
¿Qué tipo de música le gusta?

무슨 색을 좋아하십니까?
museun saegeul joahasimnikka
¿Qué color le gusta?

무슨 과일을 좋아하십니까?
museun gwaireul joahasimnikka
¿Qué fruta le gusta?

2 Para expresar que le gusta algo, utilice la expresión '~을/를 좋아합니다'.

수영을 좋아합니다. : Me gusta la natación.

야구하는 것을 좋아합니다.
yaguhaneun geoseul joahamnida
Me gusta jugar al beísbol.

태권도하는 것을 좋아합니다.
taegwondohaneun geoseul joahamnida
Me gusta practicar Taegwondo.

스키 타는 것을 좋아합니다.
ski taneun geoseul joahamnida
Me gusta jugar al tenis de mesa.

테니스 치는 것을 좋아합니다.
teniseu chineun geoseul joahamnida
Me gusta jugar al tenis.

탁구 치는 것을 좋아합니다. Me gusta esquiar.
takgu chineun geoseul joahamnida

③ '～지만' significa 'aunque' o 'pero' y se emplea añadiendo al verbo de la primera cláusula. Su forma negativa es '～지 않지만'.

수영은 좋아하지만, : Aunque me gusta la natación,
수영은 좋아하지 않지만, : Aunque no me gusta la natación,

수영은 좋아하지 않지만, 테니스는 좋아합니다.
suyeong-eun joahaji anchiman teniseuneun joahamnida
No me gusta la natación, pero me gusta jugar al tenis.

영화는 좋아하지만, 음악은 좋아하지 않습니다.
yeonghwaneun joahajiman eumageun joahaji ansseumnida
Me gustas las películas pero no me gusta la música.

④ '～지 않겠습니까?' expresa la idea de '... no quiere usted?'

주말에 테니스 치러 가지 않겠습니까?
: ¿No quiere jugar al tenis este fin de semana?

골프 치러 가지 않겠습니까?
golpeuchireo gaji anketseumnikka
¿No quiere jugar al golf?

영화 보러 가지 않겠습니까?
yeonghwa boreo gaji anketseumnikka
¿No quiere ir a ver una película?

식사하러 가지 않겠습니까?
siksahareo gaji anketseumnikka
¿No quiere ir a comer?

⑤ La conjunción '(으)러' que se agrega a la raíz de un verbo, indica 'propósito', 'objetivo' de una acción.

수영하러 갑니다. : voy a nadar
주스를 마시러 갑니다. : voy a tomar jugo de naranja

레스토랑에 점심을 먹으러 갑니다. Voy al restaurante para almorzar.
restorang-e jeomsimeul meogeureo gamnida

도서관에 공부를 하러 갑니다. Voy a la biblioteca a estudiar.
doseogwane gongbureul hareo gamnida

⑥ '~(으)니까' expresa una idea donde la acción comenzada en la primera cláusula es la causa de la segunda cláusula.

수영을 좋아하니까, 같이 가겠습니다.
: Ya que me gusta la natación, iré allí junto con usted.

한국에서 살았으니까, 한국말을 잘합니다.
hangugeseo sarasseunikka hangukmareul jalhamnida
Por haber vivido en Corea, puedo hablar bien el coreano.

Ejercicios

1 Escriba el vocabulario coreano correspondiente como muestra el ejemplo.

Ejemplo
Escuela (학교)

(1) querer ( ) (2) natación ( ) (3) desagradar ( )
(4) hacer bien ( ) (5) deporte ( ) (6) tenis ( )

2 Complete las frases siguiendo el ejemplo.

Ejemplo
테니스, 수영 → 테니스는 좋아하지 않지만, 수영은 좋아합니다.

(1) 커피, 주스 → ____________ (2) 사과, 바나나 → ____________

(3) 야구, 농구 → ____________ (4) 쓰기, 읽기 → ____________

(5) 라면, 자장면 → ____________

3 Redacte una frase de invitación como muestra el ejemplo.

Ejemplo

골프 치다. → 골프 치러 갑시다.

(1) 밥을 먹다. → ____________________

(2) 영화 보다. → ____________________

(3) 커피를 마시다. → ____________________

(4) 수영을 하다. → ____________________

(5) 한국어를 공부하다. → ____________________

4 Proporcione una respuesta para las siguientes preguntas y consulte sobre ella.

(1) 무슨 운동을 좋아하십니까? ¿Qué deporte le gusta?

(2) 좋아하는 운동은 무엇입니까? ¿Cuál es su deporte favorito?

(3) 무슨 운동을 잘하십니까? ¿Qué deporte juega bien?

(4) 무슨 음료를 좋아하십니까? ¿Qué bebida le gusta?

Ejercicio de lectura

(1) 어제는 운동과 쇼핑을 했습니다.
Ayer practiqué algunos deportes y fui de compras.

(2) 저는 농구를 좋아하지만, 테니스는 좋아하지 않습니다.
Me gusta el baloncesto, pero no me gusta el tenis.

(3) 무슨 음료수를 드시겠습니까?
¿Qué tipo de bebida desea tomar usted?

(4) 영주 씨와 저는 커피를 싫어합니다.
A Youngjoo y a mí no nos gusta el café.

(5) 주말에 탁구장에 같이 가지 않겠습니까?
¿Por qué no vas con nosotros al centro de tenis de mesa este fin de semana?

제 19 과

Lección 19

세탁물을 맡기려고 합니다.

Voy a dejar ropa para lavar.

Frases principales

1. 재킷을 세탁하려고 합니다.
   Quisiera que haga el lavado al seco a la chaqueta.
   jaekiseul setakharyeogo hamnida
2. 금요일 오후까지 배달해 드리겠습니다.
   Lo entregaré en su domicilio hasta el viernes a la tarde.
   geumyoil ohukkaji baedalhae deurigetseumnida

Diálogos

Diálogo 1

영주: 푸휘 씨, 재킷이 아주 멋있군요.
puhwi ssi jaekisi aju meoditgunyo
Puhui, es muy eleganta su chaqueta.

푸휘: 어제 남대문 시장에서 샀습니다.
eoje namdaemun sijang-eseo satseumnida
La compré ayer en el mercado Namdaemun.

영주: 그런데, 재킷에 무엇이 묻었군요.
geureonde jaekise mueosi mudeotgunyo
Pero, se ha manchado con algo.

푸휘: 이런! 사자마자 더러워졌군요. 어떻게 하면 좋겠습니까?
ireon sajamaja deoreowojyeotgunyo otteoke hamyeon joketseumnikka
¡Oh, no! Apenas la compré y ya se ensució. ¿Qué tengo que hacer?

영주: 옆 건물 2층에 세탁소가 있습니다. 같이 갈까요?
yeop geonmul icheung-e setaksoga isseumnida gachi galkkayo
Hay una lavandería en el segundo piso del edificio al lado. ¿Voy con usted?

푸휘: 아니오, 괜찮습니다. No, está bien.
anio gwaenchanseumnida
혼자 갈 수 있습니다. Puedo ir solo.
honja gal su itseumnida

Diálogo 2 (세탁소에서) (En la lavandería)
setaksoeseo

푸휘: 실례합니다. 이 재킷을 세탁하려고 합니다.
sillyehamnida i jaekiseul setakharyeogo hamnida
Permiso, quisiera que haga el lavado al seco de esta chaqueta.

세탁소 주인: 이런! 많이 더러워졌군요.
ireon mani deoreowojyeotgunyo
¡Oh, no! Realmente está sucia.

무엇이 묻었습니까?
mueosi mudeotseumnikka
¿Con qué se ha manchado?

푸휘: 모르겠어요. 어제 샀는데…
moreugesseoyo eoje sanneunde...
No lo sé, la compré ayer.

세탁비는 얼마입니까?
setakbineun eolmaimnikka
¿Cuánto cuesta el lavado al seco?

세탁소 주인: 재킷은 6,000원입니다.
jaekiseun yukcheonwonimnida
Una chaqueta es 6.000 wones.

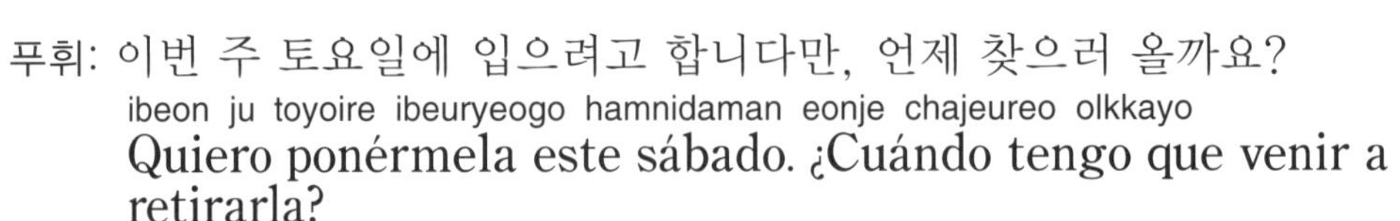

푸휘: 이번 주 토요일에 입으려고 합니다만, 언제 찾으러 올까요?
ibeon ju toyoire ibeuryeogo hamnidaman eonje chajeureo olkkayo
Quiero ponérmela este sábado. ¿Cuándo tengo que venir a retirarla?

세탁소 주인: 금요일 오후까지 배달해 드리겠습니다.
geumyoil ohukkaji baedalhae deurigetseumnida
La entregaré en su domicilio hasta el viernes a la tarde.

푸휘: 감사합니다. Gracias.
gamsahamnida

Vocabulario y frases

- 재킷 chaqueta
- 어제 ayer
- 배달하다 entregar
- 더러워지다 ensuciarse
- 2층 segundo piso
- 괜찮습니다 está bien/vale
- 아주 muy
- 사다 comprar
- 그런데 a propósito
- 옆 al lado
- 세탁소 lavandería
- 혼자 solo
- 멋있다 elegante/magnífico
- 묻다 manchar
- 이런 Oh, no!
- 건물 edificio
- 같이 junto
- 많이 mucho

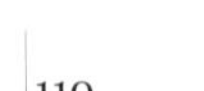

- 언제 cuándo
- 금요일 viernes
- 찾다 encontrar
- 입다 ponerse
- 실례합니다 perdón
- 모르다 no sé cómo
- 감사합니다 gracias
- 사자마자 justo después de comprar
- ~만 pero
- 주인 dueño
- 이번 주 esta semana
- 오후 tarde
- 세탁비 costo de lavado al seco
- 토요일 sábado
- 세탁하려고 para lavar al
- 배달해 드리다 entregar a domicilio
- 남대문 시장 mercado Namdaemun

Ejercicio léxico

세탁을 하다
setageul hada
hacer lavado al seco

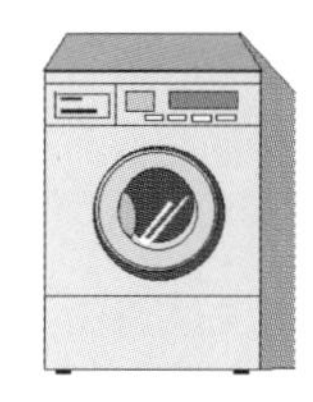

다림질을 하다
darimjireul hada
planchar

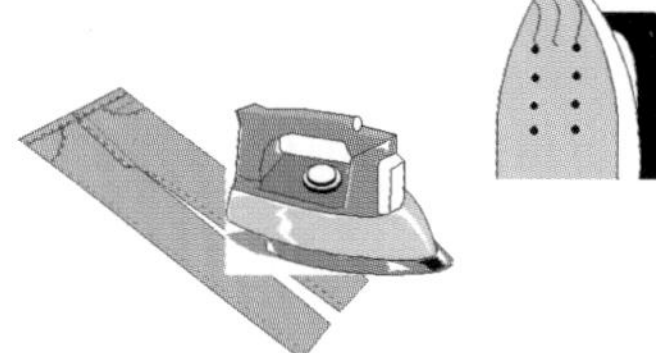

바짓단을 줄이다
bajitdaneul jurida
cortar el largo de pantalones

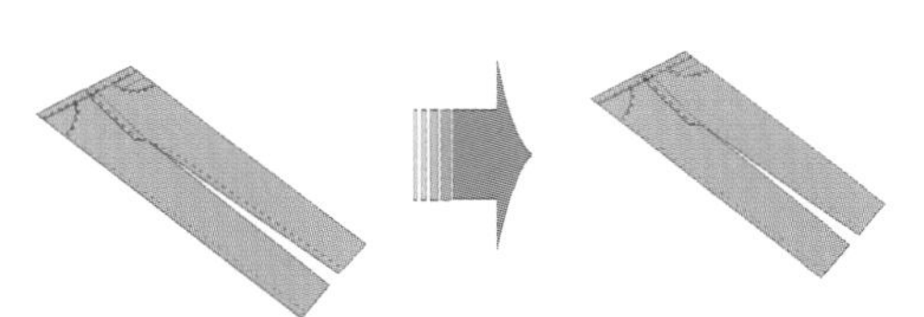

허릿단을 늘리다
heoritdaneul neullida
agrandar la cintura

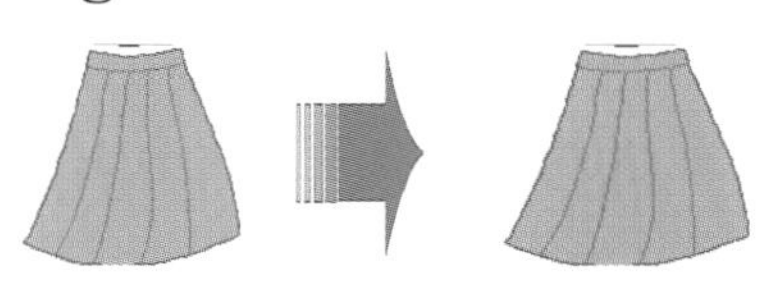

Estructuras gramaticales y expresiones

1. La expresión '~자마자' significa 'tan pronto como' o 'apenas'. La segunda acción ocurre inmediatamente después de la primera.

사자마자 : apenas lo compré

밥을 먹자마자 회사에 갔습니다.
babeul meokjamaja hoesae gatseumnida
Tan pronto como terminé de comer, fui a trabajar.

일어나자마자 학교에 갔습니다.
ireonajamaja hakgyoe gatseumnida
Apenas me levanté, fui a escuela.

집에 가자마자 친구에게 전화했습니다.
jibe gajamaja chinguege jeonhwahaetseumnida
Tan pronto como llegué a casa, llamé a mi amigo.

② La expresión '~(으)려고 합니다' expresa la idea de 'planea (piensa) hacer algo'.

> **이 재킷을 세탁하려고 합니다.**
> : Yo planeo (quisiera) hacer lavado al seco de esta chaqueta.

무슨 운동을 하려고 합니까?
museun undong-eul haryeogo hamnikka
¿Qué deporte piensa hacer?

한국어를 공부하려고 합니다.
hangugeoreul gongbuharyeogo hamnida
Planeo estudiar coreano.

친구를 만나려고 합니다.
chin-gureul mannaryeogo hamnida
Planeo encontrarme con mi amigo.

양복을 맡기려고 합니다.
yangbogeul matgiryeogo hamnida
Pienso hacer un traje.

③ La expresión '~까지' es una postposición que sinifica 'hasta', 'hasta que' o 'por'

> **수요일까지 숙제를 제출하겠습니다.**
> : Entregaré hasta el miércoles mi tarea.

수원까지 40분 걸립니다. Se tarda 40 minutos hasta Suwon.
suwonkkaji sasipbun geollimnida

도서관까지 걸어갔습니다. Caminé hasta la biblioteca.
doseogwankkaji georeogatsemnida

밤 늦게까지 책을 읽었습니다. Leí el libro hasta altas horas de la noche.
bam neukkekkaji chaegeul ilgeotseumnida

4시까지 한국어를 공부합니다. Estudio coreano hasta la cuatro.
nesikkaji hangugeoreul gongbuhamnida

Ejercicios

1 Redacte una frase utilizando el marcador de tiempo futuro '겠' siguiendo el ejemplo de abajo.

Ejemplo

세탁물을 맡기다 → 세탁물을 맡기겠습니다.
dejar la ropa sucia → Quisiera dejar la ropa sucia.

(1) 양복을 사다 comprar un traje → ______________
(2) 세탁소에 가다 ir a la lavandería → ______________
(3) 선물을 배달하다 entregar el regalo → ______________
(4) 토요일에 찾다 retirar el sábado → ______________
(5) 같이 가다 ir junto → ______________

2 Escriba nuevamente la frase siguiendo los ejemplos. (2~3)

Ejemplo

공부하다 → 공부하려고 합니다.
estudiar → Yo pienso estudiar.

(1) 커피를 마시다 tomar café → ______________
(2) 수영을 하다 nadar → ______________
(3) 세탁물을 맡기다 dejar la ropa sucia → ______________
(4) 일찍 자다 acostarse temprano → ______________

3 Escriba nuevamente la frase siguiendo el ejemplo de abajo.

Ejemplo

파티가 끝나다/세탁소에 가다 → 파티가 끝나자마자 세탁소에 갔습니다.
Apenas teminó la fiesta, fui a la lavandería.

(1) 우유를 마시다/운동을 하다
→ ______________________________

(2) 양복을 사다/세탁하다

→ ______________________________

(3) 수업이 끝나다/식당에 가다

→ ______________________________

(4) 일찍 일어나다/회사에 가다

→ ______________________________

4 Proporcione una respuesta para las preguntas y consulte sobre ellas.

(1) 세탁소에 간 적이 있습니까?
¿Ha estado en la lavandería?

(2) 무엇을 했습니까?
¿Qué hizo?

(3) 세탁비는 양복 한 벌에 얼마입니까?
¿Cuánto cuesta el lavado al seco de un traje?

Ejercicio de lectura

(1) 어제는 백화점에서 재킷을 샀습니다.
Ayer compré una chaqueta en unos grandes almacenes.

(2) 세탁비는 얼마입니까?
¿Cuánto cuesta el lavado al seco?

(3) 언제 찾으러 올까요?
¿Cuándo vengo a retirarlo?

(4) 투피스 한 벌에 6,000원입니다.
Un traje de dos piezas cuesta 6.000 wones.

(5) 금요일 오후까지 배달해 드리겠습니다.
Lo entregaré en su domicilio hasta el viernes a la tarde.

제 20 과
Lección 20

편지를 쓰고 있습니다.
Estoy escribiendo una carta.

Frases principales

1. 부모님께 편지를 쓰고 있습니다. Estoy escribiendo una carta a mis padres.
   bumonimkke pyeonjireul sseugo itseumnida
2. 이 편지를 중국으로 부치려고 합니다. Quisiera enviar esta carta a China.
   i pyeonjireul jung-gugeuro buchiryeogo hamnida

Diálogos

Diálogo 1

영주: 무엇을 하고 있습니까?
mueoseul hago itseumnikka
¿Qué está haciendo?

푸휘: 편지를 쓰고 있습니다.
pyeonjireul sseugo itseumnida
Estoy escribiendo una carta.

영주: 누구에게 쓰고 있습니까?
nuguege sseugo itseumnikka
¿A quién está escribiéndola?

푸휘: 부모님께 쓰고 있습니다.
bumonimkke sseugo itseumnida
Estoy escribiendo una carta a mis padres.

그런데 봉투는 어떻게 씁니까?
geureonde bongtuneun eotteoke sseumnikka
Por cierto, ¿cómo tengo que escribir el sobre?

30 74
보내는 사람 (빠른우편표시) (우표첨부)
주소, 성명, 우편번호 기재
※발송인이 필요한 사항 기재가능
40
90 ~ 120
(우체국사용란)
등기취급시 접수국
등기번호표시
※이용자는 기재 불가
받는 사람
주소, 성명, 우편번호기재
※발송인이 필요한 사항 기재가능
□□□-□□□
※이 간격을 지키지 않으면 규격외 봉투로 간주되어 추가요금부담
140~235
(각 부분 기재위치는 ±5mm까지 가능)

영주: 앞면 중간 부분에 받을 사람의 주소와 이름을 쓰고,
apmyeon junggan bubune badeul saramui jusowa ireumeul sseugo
Escriba la dirección y el nombre del receptor en el medio de la cara delantera,

왼쪽 윗부분에 보내는 사람의 주소와 이름을 씁니다.
oenjjok witbubune bonaeneun saramui jusowa ireumeul sseumnida
y escriba la dirección y el nombre de remitente en la parte superior izquierda.

푸휘: 소포를 부치려면 우체국에 가야 됩니까?
soporeul buchiryeomyeon ucheguge gaya doemnikka
¿Tengo que ir al correo para enviar paquetes postales?

영주: 예, 직접 가셔야 됩니다.
ye jikjeop gasyeoya doemnida
Sí, usted debe ir allí personalmente.

Diálogo 2 (우체국에서) (En el correo)
uchegugeseo

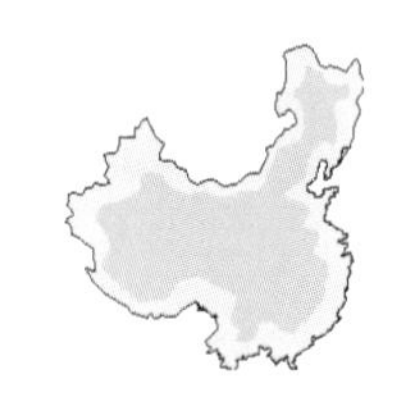

푸휘: 이 편지를 중국으로 부치려고 합니다.
i pyeonjireul jung-gugeuro buchiryeogo hamnida
Quisiera enviar esta carta a China.

직원: 360원입니다. Es 360 wones.
sambaek-yuksip wonimnida

푸휘: 이 소포도 부쳐 주십시오.
i sopodo buchyeo jusipsio
Por favor, envie este paquete también.

직원: 4,200원입니다. Es 4.200 wones.
sacheonibaek wonimnida

깨지는 물건은 아닙니까?
kkaejineun mulgeoneun animnikka
¿No es un objeto frágil?

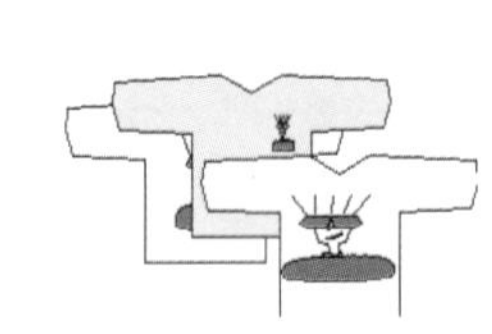

푸휘: 예, 티셔츠와 손수건입니다.
ye tisyeocheuwa sonsugeonimnida
No, son camisetas y pañuelos.

그런데, 어느 정도 걸립니까?
geureonde eoneu jeongdo geolrimnikka
Pero, ¿cuánto tarda en llegar?

직원: 요즈음은 바빠서 1주일에서 10일 정도 걸립니다.
yojeueumeun bappaseo iljuireseo sibil jeongdo geolrimnida
Por estar ocupado en estos días, tomará una semana a 10 días en llegar.

Vocabulario y frases

- 하다 hacer
- 쓰고 있다 estar escribiendo
- 받을 사람 destinatario
- 우체국 correo
- 물건 cosas/ artículos
- 티셔츠 camisa
- 요즈음 estos días
- 부모님 padres
- 중간부분 en el medio
- 보내는 사람 remitente
- 직접 personalmente
- 바쁘다 estar ocupado
- ~정도 grado
- 편지 carta
- 부모님께 a padres
- 윗부분 encima de
- 가야 되다 tener que ir
- 부쳐 주다 enviar
- 어느 정도 por cuánto tiempo
- 하고 있다 estoy haciendo
- 그런데 a propósito
- 주소 dirección
- 부치다 enviar
- 아닙니까? ¿no es asi?
- 걸리다 tardar
- 바빠서 porque está ocupado
- 봉투 sobre
- 앞면 frente
- 이름 nombre
- 소포 paquete postal
- 중국 China
- 달다 pesar
- 쓰다 escribir
- 어떻게 cómo
- 왼쪽 izquierdo
- 가다 ir
- 손수건 pañuelo
- 깨지다 ser frágil

Ejercicio léxico

국제우편 correo internacional
gukjeupyeon

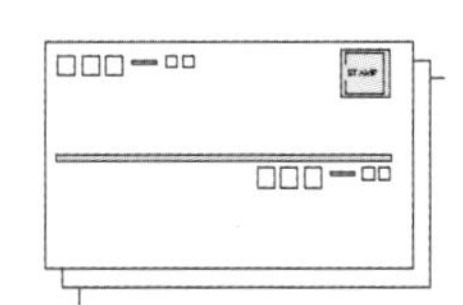

국내우편 correo nacional
guknaeupyeon

소포 paquete
sopo

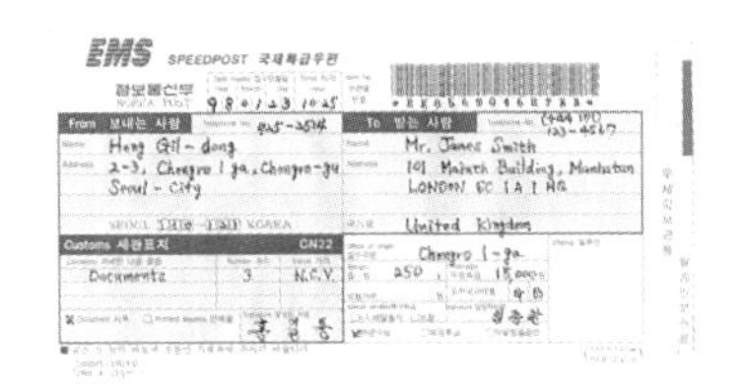

빠른우편 expreso
ppareunupyeon

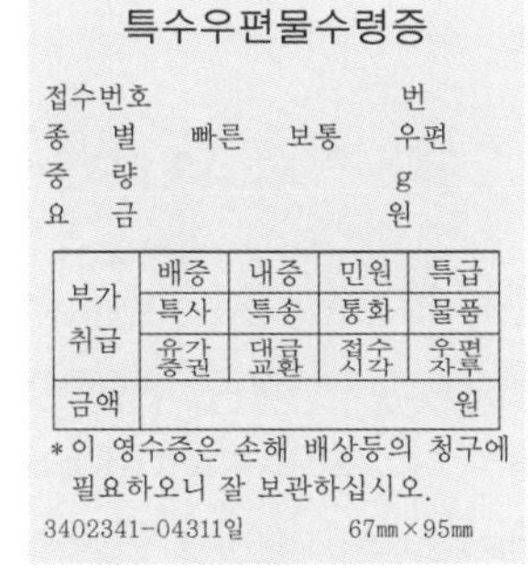

특수우편물수령증

접수번호 번
종 별 빠른 보통 우편
중 량 g
요 금 원

부가취급	배증	내증	민원	특급
	특사	특송	통화	물품
	유가증권	대금교환	접수시각	우편자루
금액				원

* 이 영수증은 손해 배상등의 청구에 필요하오니 잘 보관하십시오.

3402341-04311일 67㎜×95㎜

등기 certificado
deunggi

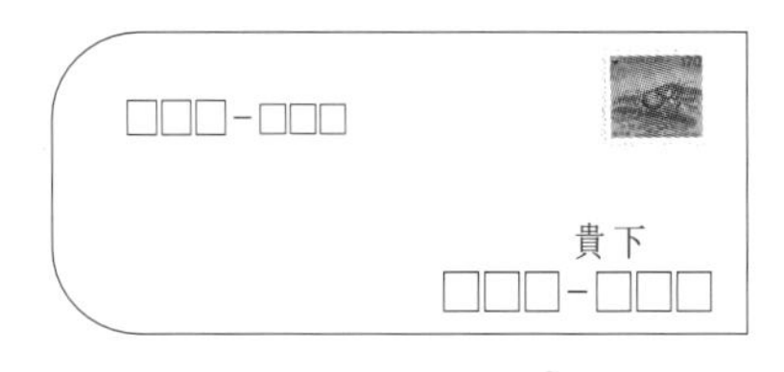

보통우편 correo ordinario
botongupyeon

Estructuras gramaticales y expresiones

1. La frase terminada en '~고 있습니다' es una forma progresiva del verbo como 'estar haciendo' e indica que se está realizando una acción.

편지를 쓰고 있습니다. : Estoy escribiendo una carta.

한국어를 공부하고 있습니다. hangugeoreul gongbuhago itseumnida	Estoy estudiando coreano.
중국어 숙제를 하고 있습니다. jung-gugeo sukjereul hago itseumnida	Estoy haciendo la tarea de chino.
소포를 부치고 있습니다. soporeul buchigo itseumnida	Estoy enviando un paquete postal.

2. La conjunción de frase '~고' une dos cláusula de iqual categoría y significa 'y'.

동생은 공부하고, 나는 편지를 씁니다.
: Mi hermano está estudiando y yo estoy escribiendo una carta.

친구는 밥을 먹고, 나는 빵을 먹습니다.
chin-guneun babeul meokgo naneun ppang-eul meoksseumnida
Mi amigo está comiendo arroz cocido a vapor y yo estoy comiendo pan.

친구는 10시에 자고, 나는 12시에 잡니다.
chin-guneun yeolsie jago naneun yeoldusie jamnida
Mi amigo se acuesta a las 10 y yo voy a dormir a las 12.

영주 씨는 테니스를 좋아하고, 나는 수영을 좋아합니다.
yeongju ssineun teniseureul joahago naneun suyeong-eul joahamnida
A Yeongju le gusta el tenis y a mi me gusta la natación.

3. La conjunción de causalidad '~어/아서' expresa la idea de 'porque'.

바빠서 오래 걸립니다. : Tarda mucho porque está ocupado.

게을러서 늦게 일어납니다. geeulleoseo neutge ireonamnida	Él se levanta tarde porque es un perezoso.
슬퍼서 울었습니다. seulpeoseo ureotseumnida	Lloré porque estaba triste.

④ La expresión '~정도' tiene el significado de 'aproximadamente'.

학생이 20명 정도입니다. : Hay aproximadamente 20 alumnos.

학교까지 몇 분 정도 걸립니까?
hakgyokkaji myeot bun jeongdo geollimnikka
¿Cuántou tarda aproximadamente para ir a escuela?

⑤ La expresión '~면' corresponde a 'si' en español, y '~(으)려면' significa 'si (usted) planea (desea) hacer'.

우체국에 가면 소포를 부칠 수 있습니다.
: Si usted fuera al correo, podría enviar el paquete.

소포를 부치려면 우체국에 가야 됩니다.
: Si usted planea (desea) enviar un paquete postal, debe ir al correo.

공부를 하려면 도서관에 가야 합니다.
gongbureul haryeomyeon doseogwane gaya hamnida
Si desea estudiar, debe ir a la biblioteca.

빨리 달리면 경주에서 이길 수 있습니다.
ppalli dallimyeon gyeongjueseo igil su itseumnida
Si usted corriera rápido, podría ganar en la carrera.

Ejercicios

1 Complete los siguientes diálogos, siguiendo los ejemplos.

(1)

Ejemplo
편지를 쓰다 → 편지를 쓰려면 어떻게 합니까?

① 소포를 부치다 Enviar un paquete
→ ______________________

② 우체국에 가다 ir al correo
→ ______________________

Ejercicios

③ 무게를 달다 pesar
→ ______________________

④ 도서관에 가다 ir a la biblioteca
→ ______________________

⑤ 양복을 사다 comprar un traje
→ ______________________

(2)

Ejemplo
편지를 쓰다 → 편지를 쓰고 있습니다.

① 무게를 달다 pesar
→ ______________________

② 전화를 걸다 estudiar coreano
→ ______________________

③ 우유를 마시다 beber leche
→ ______________________

④ 책을 읽다 leer un libro
→ ______________________

⑤ 한국어를 공부하다 hacer una llamada telefónica
→ ______________________

2 Ponga '~에게' o '~께' en los espacios en blancos.

(1) 친구(　　) 편지를 쓰고 있습니다.
Estoy escribiendo una carta a mi amigo.

(2) 할아버지(　　) 전화를 걸었습니다.
Llamé por teléfono a mi abuelo.

(3) 선생님(　　) 소포를 부쳤습니다.
Envié un paquete a mi profesor.

(4) 동생(　　) 선물을 주었습니다.
Entregué un regalo a mi hermano.

(5) 사장님(　　) 한국어를 가르쳐 드리고 있습니다.
Estoy enseñado coreano a mi jefe.

3 Proporcione respuestas para las siguientes preguntas y consulte sobre ellas.

(1) 편지 봉투는 어떻게 씁니까?
¿Cómo tengo que escribir en el sobre?

(2) 소포를 부치려면 어떻게 합니까?
¿Qué debo hacer para enviar un paquete?

(3) 우체국에 간 적이 있습니까?
¿Nunca estuviste en el correo?

(4) 부모님께 편지를 쓴 적이 있습니까?
¿Nunca escribió una carta a sus padres?

Ejercicio de lectura

(1) 친구에게 편지를 쓰고 있습니다.
Estoy escribiendo una carta a mi amigo.

(2) 부모님께 엽서를 쓰고 있습니다.
Estoy escribiendo una postal a mis padres.

(3) 오늘 우체국에서 편지와 소포를 부쳤습니다.
Hoy envié una carta y un paquete en el correo.

(4) 깨지는 물건은 아닙니까?
¿No es un objeto frágil?

(5) 이 편지를 미얀마에 부치려고 합니다.
Quisiera enviar esta carta a Mianmar.

한국 지도

El mapa de Corea

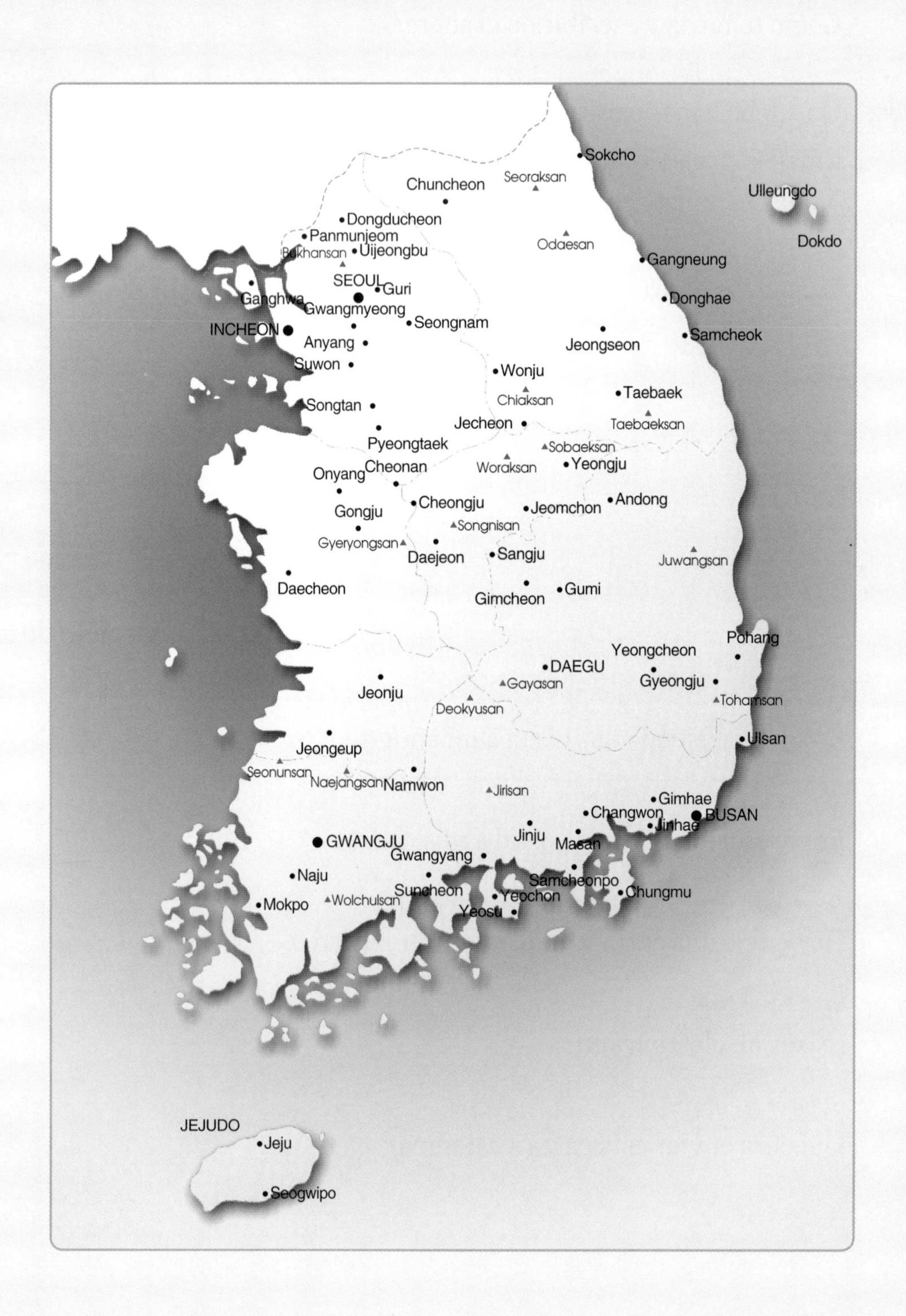

Índice

(국문 · 스페인어 · 영문 · 불문 색인)

ㄱ

ㅁ

ㅂ

판 권

저자와의 협의 하에 인지를 생략함

FIRST STEP IN KOREAN FOR SPANISH

2006년 1월 10일 초판 발행
2017년 7월 1일 초판 4쇄 발행

原著者 慶熙大學校 平生教育院
代表著者 李 淑 子
發行者 金 哲 煥
發行處 民衆書林

10881 경기도 파주시 회동길 37-29
(파주출판문화정보산업단지)
전화 031)955-6500~6
Fax 031)955-6525
홈페이지 http: // www.minjungdic.co.kr
등록 1979. 7. 23. 제2-61호

정가 13,000원

ISBN 978-89-387-0011-7 13710

FIRST STEP IN KOREAN

외국인을 위한

한국어 입문 시리즈

한국어를 쉽고 빠르게 익힐 수 있는 지름길!

경희대 이숙자 교수

FIRST STEP IN KOREAN / 외국인을 위한 한국어 입문

FIRST STEP IN KOREAN FOR CHINESE / 중국인을 위한 한국어 입문

FIRST STEP IN KOREAN FOR FRENCH / 프랑스인을 위한 한국어 입문

FIRST STEP IN KOREAN FOR JAPANESE / 일본인을 위한 한국어 입문

FIRST STEP IN KOREAN FOR RUSSIAN / 러시아인을 위한 한국어 입문

FIRST STEP IN KOREAN FOR SPANISH / 스페인인을 위한 한국어 입문

EXPLORING KOREAN / 외국인을 위한 한국어 읽기